El poder curativo de las flores y plantas

Aromaterapia

Anna Huete

Guía práctica de aceites esenciales
para el cuerpo, la mente y el espíritu

OCEANO AMBAR

AROMATERAPIA

Fotografías: Johann Wolf, Corbis, Firo Foto, Getty, Archivo Océano
Modelos: Nathalie Le Gosles
Proyecto inicial: Enrique Sanz, Jaume Rosselló. Edición: José Andrés Rodríguez
Diseño y maquetación: Jordi Galeano
Dirección de arte: Montse Vilarnau
Edición digital: Jose González

© Anna Huete, 2007

© Editorial Océano, S. L., 2007 — Grupo Océano
Milanesat 21-23 — 08017 Barcelona
Tel: 93 280 20 20 — Fax: 93 203 17 91
www.oceano.com

primera edición, febrero 2007
segunda edición, noviembre 2007

ISBN: 978-84-7556-456-2 — Depósito legal: B-13581-XLX
Impreso en España - Printed in Spain
9000054021107

Índice

Introducción a los aceites esenciales

Naturaleza, fuente de bienestar

La naturaleza nos brinda grandes tesoros de salud y bienestar que el ser humano ha sabido utilizar desde hace miles de años. Sentirse bien —sin hambre, sin frío y sin enfermedades— ha sido la prioridad de las personas desde el inicio de los días. Y para conseguir ese difícil objetivo, las civilizaciones han sabido mirar alrededor y descubrir las herramientas y remedios que las plantas ponían a su alcance.

El agua, el aire puro y la tierra consiguen que crezcan incontables especies de plantas que encierran en su interior un gran secreto: los aceites esenciales. Se han utilizado desde antiguo de manera casi intuitiva y la ciencia ha avalado con sus investigaciones el amplio espectro de principios activos terapéuticos que contienen en cada caso.

Estos aceites esenciales, puros, volátiles, ricos en propiedades y en perfumes, son la base de la aromaterapia. No se trata de perfumarse con ellos, sino de encontrar el equilibrio físico y emocional gracias a ellos, a través de ellos.

Un agradable masaje fragante, un baño caliente y relajado, un aroma envolvente en tu casa... son algunas de las formas en que se aplica la aromaterapia. Agradables, ¿verdad?

De este modo, tu cuerpo y tus emociones encuentran gracias a la aplicación de aceites esenciales la excusa perfecta para dedicarte un poco de tiempo y poder frenar el ritmo acelerado que la vida actual te obliga a llevar en más ocasiones de las que desearías.

En estas páginas vamos a acercarte la grata sensación de sentirte mejor gracias a la aromaterapia, explicándote cómo se consiguen los aceites esenciales, cuáles son, cómo puedes aplicártelos y la mejor manera de sacar provecho de ellos. Si te animas, descubrirás cuánto te gusta cuidarte y qué sencillo puede resultar encontrar alivio para muchas de tus dolencias o para tus horas bajas.

No podemos prometerte salud, belleza y felicidad, pero te aseguramos que ese camino, que se inicia en ti, puedes empezar a recorrerlo de la mano de una de las terapias naturales más gratificantes que existen: la aromaterapia.

El poder terapéutico de la aromaterapia

Los principios activos de los aceites esenciales tienen potentes efectos curativos sobre tu organismo y tus emociones negativas. Se trata de componentes químicos con probados beneficios terapéuticos, que, en muchas ocasiones, han sido sintetizados en laboratorios para convertirlos en fármacos. Sin embargo, en los aceites esenciales que se utilizan en aromaterapia, los principios

activos son naturales y penetran en tu organismo de diferentes maneras, en función de cómo te los apliques. Pueden llegarte a través del olfato, ya que son muy volátiles, cuando los pones en un quemador de esencias o los inhales. Y tienen la capacidad de penetrar a través de los poros de tu piel, si tomas un baño o te dan un masaje, gracias al diminuto tamaño de sus moléculas. En el primer caso llegan directos al cerebro y al sistema límbico; y en el segundo, al torrente sanguíneo.

Oler salud

Cuando somos pequeños, uno de los sentidos que mejor utilizamos y mayor información nos da es el olfato.

El bebé recién nacido tiene la visión borrosa y oye los ruidos amortiguados, pero capta a la perfección el olor de su madre, y se tranquiliza en su regazo o cuando va a mamar. Los olores le informan de manera inconsciente de lo que ocurre, le transmiten información a su cerebro y éste, a su vez, genera respuestas.

Este sentido parece que va perdiendo importancia con la edad, pero no es cierto. Es evidente que ya no es un elemento básico para la subsistencia, como había ocurrido en tiempos de nuestros antepasados, ni lo utilizamos para huir de depredadores o alertarnos del peligro ante un determinado aroma tóxico de una planta. Pero está presente en nuestra vida y, en algunas ocasiones, es cierto que modifica nuestra conducta de forma inconsciente, nos genera sensaciones de bienestar o de tristeza, nos ayuda a sentirnos mejor o a ponernos más irritables. En definitiva, nos influye y afecta.

Si, de pronto, alguien en tu casa cocina aquellas deliciosas galletas que solía hacerte tu abuela en tu niñez, te garantizamos que el dulce aroma te va a llevar en cuestión de segundos a evocar aquellos tiempos de tu infancia y a recodar algún episodio agradable de aquella época. Te va a invadir la nostalgia y no podrás evitar sonreír.

Ninguno de nuestros sentidos tiene un poder tan evocador como el olfato. Y tan potente. Las famosas feromonas, las hormonas de atracción sexual que segregan las hembras de muchas especies, incluida la humana, tienen el poder de atraer al macho de manera inconsciente por el aroma. Este mensaje químico es captado por el cerebro a través del olfato y determina una conducta y, también, una serie de reacciones físicas.

Uno de los principios de la aromaterapia es justamente éste, el de generar determinados efectos físicos a través de los aromas de los aceites esenciales que nos llegan a nuestro sentido del olfato y, después, a nuestro cerebro.

Este proceso se inicia en la mucosa nasal, donde se disuelven las partículas aromáticas que llegan gracias a la característica volatilidad de los aceites esenciales; es decir, su aroma se evapora con extraordinaria rapidez. En esta mucosa, que en medicina recibe también el nombre de «epitelio olfato-rio», se encuentran millones de células quimiorre-ceptoras que recogen el aroma. A partir de ahí, el aroma viaja por la base posterior del epitelio y llega hasta las fibras nerviosas, que, gracias a los impul-sos nerviosos, lo llevan al paladar y a la cavidad cra-neal. Una vez allí, y en cuestión de décimas de se-gundo, llegan al bulbo olfatorio, que ya forma parte del cerebro; y de allí, al sistema límbico.

Este sistema es una de las zonas más importan-tes del cerebro, ya que es el encargado de gestionar los instintos, la memoria y las funciones vitales. Cuando el sistema límbico «recibe» los principios activos de un aceite esencial inicia una respuesta inmediata y libera sustancias químicas que van a parar al sistema nervioso, bien para estimularlo o para relajarlo. Como nuestro sistema nervioso se reparte por cada recoveco de nuestro organismo, la aromaterapia puede, a través del olfato, llegar a ali-viar un dolor o a reducir la tensión. Simple y efecti-vo, a la vez que complicado y, aparentemente, in-explicable.

Además, al oler o inhalar un aroma, también lle-gan partículas del aceite esencial a los pulmones y, a través de ellos, a nuestro sistema circulatorio. Por ese motivo los quemadores de esencias, las inhalaciones y oler unas gotas de aceite esencial en un pañuelo o en nuestra almohada tienen un doble efecto sobre el sistema nervioso y el torren-te sanguíneo.

¿Qué es la aromaterapia?

La técnica de salud natural que conocemos como «aromaterapia» se denomina así desde hace menos de un siglo. Sin embargo, **hace cinco milenios como mínimo que los aceites esenciales están presentes en usos terapéuticos, cosméticos y espirituales en diferentes culturas y sociedades.** En la actualidad se llama «aceite esencial» o «aromaterapia» a más cosas de las que en realidad son. No se trata de perfumería, ni de unas palabras que suenan a algo natural y ayudan a vender mejor los productos cosméticos.

En realidad, la aromaterapia es, como su nombre indica, una terapia que utiliza los aromas, es decir, que busca mejorar nuestra salud, ya sea la salud del cuerpo o de la mente, en nuestra vida diaria. Pero no se basa sólo en los olores, sino en **todo el conjunto de componentes químicos de esos aceites esenciales extraídos de las plantas.** Como veremos más adelante, son varias las formas de aplicación, incluida la inhalación, y solamente se aplican aceites esenciales puros.

El nombre originario es francés, y es «aromathérapie». Lo creó René-Maurice Gattefossé, un químico francés, y con ese término expresaba de forma clara que se trata de la curación a través de los aromas. No obstante, esa definición nos puede llevar a pensar que se trata sólo de inhalar los aceites esenciales, y se presta a pensar únicamente en la perfumería. En realidad, los aceites esenciales actúan de muchas otras maneras, como hemos explicado al hablar del sentido del olfato, y no se trata sólo de que huelan bien o mal. **Como otras muchas terapias naturales, la aromaterapia no utiliza medicamentos y no busca sólo contrarrestar las dolencias. El objetivo va más allá, es un enfoque holístico que intenta conservar, mantener, potenciar y prevenir posibles enfermedades del cuerpo y del alma. Las** herramientas son los aceites esenciales, que mediante diferentes técnicas de aplicación nos ayudan a conseguir la autocuración, es decir, a regenerarnos y reequilibrarnos por nuestros propios medios.

Ambos son fundamentales para el funciona-
miento de nuestro organismo, y ambos se extien-
den hasta el más escondido rincón de nuestro
cuerpo. Por otro lado, su efecto sedante o estimulante también incide directamente sobre nuestro
estado anímico, ya que tiene lugar en el cerebro,
donde nacen nuestras emociones. Como puedes
empezar a intuir, la aromaterapia puede reportarte
beneficios y gestos de salud amplios y, siempre,
placenteros. Y, sobre todo, holísticos, ya que afecta
a tu organismo y a tus emociones.

Absorber salud

Otra de las formas más habituales de aplicar los aceites esenciales es sobre
nuestra piel, bien sea con un masaje o con un baño caliente. En el primer
caso se añaden a un aceite vegetal para diluirlos, ya que son muy potentes,
y en el segundo bastan apenas diez gotas y se mezclan con el agua del
baño. Cuando se aplican así, los principios activos de los aceites esenciales,
sus diminutas moléculas, penetran a través de nuestros poros, de ahí pasan a
los diminutos capilares que hay bajo nuestra epidermis y, a continuación,
se incorporan a nuestro sistema circulatorio. El resto del viaje es sencillo de
imaginar, ya que el torrente sanguíneo recorre nuestros órganos, músculos,
piel... en fin, todo nuestro cuerpo. Una vez que forman parte del sistema
circulatorio, nuestro organismo se encarga de llevar los principios activos de
los aceites esenciales a las zonas que lo precisan o a los órganos donde
pueden proporcionar mayores beneficios terapéuticos.
Es una aplicación tópica que tiene efecto a dos niveles, ya que, además de
penetrar en nuestra piel, también la capta nuestro olfato. Es decir, que la
aromaterapia llega a nuestro interior de forma rápida e integral.

Aplicación de la aromaterapia

Las formas de aplicación de la aromaterapia y sus grandes beneficios permiten practicarla en muchos ámbitos de salud y bienestar, como en la consulta de un médico, en el gabinete de un psicólogo y, cómo no, en la camilla de una esteticista. **Además, resulta un complemento muy eficaz de los tratamientos naturópatas y lo utilizan muchos quiromasajistas y fisioterapeutas.**

Por otro lado, una de sus grandes ventajas es que puedes utilizarla en casa. **Bien sea en tu baño, para dar un masaje, para perfumar o limpiar el ambiente de tu hogar. También puede ayudar a tus pequeños a dormir bien y, por último, puedes mejorar la calidad de tu estado físico y emocional.**

En este libro vamos a explicarte de forma clara y amena cuáles son las principales aplicaciones y cómo puedes practicarlas, además de darte información sobre los aceites esenciales más utilizados y sus características. No olvides que siempre es fundamental el consejo de un especialista y que la «aromaterapia en casa» es un complemento más de los beneficios que puedes encontrar en una consulta o una cabina de estética. En cualquier caso, es una terapia muy agradable y sutil, que utiliza elementos completamente naturales y que busca mejorar nuestro equilibrio físico y energético a través de sus principios activos. **El masaje, el baño, el quemador de esencias... son algunas de sus placenteras aplicaciones, que van a conseguir que te dediques un poco de tiempo y te olvides de las prisas y el estrés.** Descubrirás que es toda una fuente de bienestar a tu alcance, y no vas a arrepentirte de aprovecharla en tu beneficio y el de los tuyos.

Breve historia de la aromaterapia

Desde la prehistoria a nuestros días

Aunque, como te hemos comentado, la aromaterapia se practica bajo este nombre desde hace unas décadas, lo cierto es que el uso de plantas y sus derivados en la vida cotidiana para remediar males y superar estados emocionales difíciles se ha practicado casi desde los albores del ser humano.

Durante miles de años, las plantas medicinales han sido el único (y magnífico) recurso de las diferentes culturas para elaborar remedios curativos y cosméticos. Sin embargo, el siglo XX trajo consigo el desarrollo de la química y la capacidad de sintetizar en un laboratorio los principios activos de las plantas. Con ello llegó la creación de medicamentos sintéticos y el desarrollo de la industria farmacéutica y la medicina moderna, a quienes debe tanto la humanidad. A partir de entonces se pudieron curar enfermedades que habían sido imbatibles durante siglos, sobre todo las infecciones.

Sin embargo, este gran éxito en la medicina convencional relegó a un segundo plano a la medicina natural, que durante milenios había jugado un papel tan importante. Este olvido llevó prácticamente al ostracismo a muchas terapias naturales, que, sin embargo, nunca desaparecieron. En la actualidad, la sociedad está volviendo a apreciar en su justa medida a los remedios naturales, y

médicos, investigadores y farmacéuticos de todo el mundo vuelven a interesarse por los recursos naturales y las plantas medicinales. Además, los pacientes los consideran muchas veces como la mejor opción para curar o paliar las molestias más cotidianas, y no tener que recurrir a los fármacos y sus efectos secundarios. Todo ello nos lleva a afirmar que la sana tendencia actual es llegar a compaginar todas y cada una de las terapias existentes para conseguir un único objetivo: nuestro bienestar.

Fuego y maderas

Se tiene constancia de que desde hace miles de años los seres humanos han aprovechado el poder curativo de las plantas y algunas maderas. Con el descubrimiento del fuego llegaron otros poderes, como el del humo de las plantas. Aunque las virtudes curativas se han ido descubriendo gradualmente en el decurso de los milenios, el ser humano empezó desde muy pronto a utilizar el humo procedente de distintas maderas para conseguir determinados efectos terapéuticos o para influir sobre el estado de ánimo.

Es de imaginar que como en Europa no existían árboles de resina aromática, los primeros asentamientos humanos utilizaron hierbas como el romero o el tomillo para hacer incienso.

¿Sabías que...?

● *Los seres humanos de la prehistoria utilizaban las plantas no sólo para comer, sino también para curar sus males y llevar a cabo sus rituales religiosos. No son pocos los yacimientos arqueológicos y funerarios en los que se han encontrado restos de plantas terapéuticas.*

En función de la madera que quemaban los pueblos primitivos veían que se producían diferentes efectos, como somnolencia, felicidad, enfado o, incluso, un efecto espiritual. Con el humo expulsaban de los cuerpos los malos espíritus y devolvían la salud.

Por eso, desde el principio de los tiempos se ha utilizado como método curativo el echar humo sobre los enfermos, terapia que todavía se utiliza en algunas culturas no tan alejadas como nos puede parecer. De hecho, se utilizaba en los hospitales franceses hasta hace unas pocas décadas.

La ciencia nos ha demostrado después que su efecto terapéutico es real, y no una superchería. La base científica del poder curativo del humo de determinadas maderas es que tiene propiedades antisépticas y bactericidas. Sin embargo, para los pueblos primitivos, su capacidad curativa residía en que las fragancias calmaban a los dioses o a los espíritus, responsables directos del bienestar de la comunidad.

Esta práctica se fue manteniendo a lo largo de miles de años y en muchas creencias. Una de las maderas más utilizadas para obtener su «humo milagroso» ha sido el incienso, que todavía se utiliza hoy en religiones tan distintas como la budista, la hinduista o la católica para favorecer los estados de meditación.

¿Sabías que...?

● *En la lengua indoaria utilizaban una sola palabra, «atar», para denominar el humo, el viento, el olor y la esencia.*

La India y el ayurveda

Las plantas constituyen la base de la medicina hindú, que tiene más de cuatro mil años de historia. Esta medicina se denomina «ayurveda» (palabra que significa 'leyes de la salud'), y utiliza hasta setecientas sustancias, entre las que predominan con diferencia las de origen vegetal.

Entre ellas destacan la canela, el nardo, el jengibre, la mirra, el cilantro y el sándalo.

Los remedios herbales, que se han encontrado descritos en numerosos manuscritos sánscritos de gran belleza, se utilizaban ampliamente y eran la base de fórmulas curativas, invocaciones a los dioses y cultos religiosos.

Un rey budista del siglo III a.C., Ashoka, clasificó un gran número de plantas medicinales que todavía se emplean en la actualidad y que en su mayoría han sido incorporadas a diferentes fármacos y, por supuesto, a la aromaterapia.

Algunas de esas plantas son: alholva, alcaravea, pimienta, cardamomo, jengibre, clavo, nuez moscada, sándalo, benjuí, cáñamo, ricino, sésamo o áloe.

El antiguo Egipto

Los antiguos egipcios tenían grandes conocimientos médicos, y en las plantas encontraban la materia prima para muchos de sus remedios naturales. Además, utilizaban el reino vegetal para crear perfumes con los que honraban a sus dioses, embalsamaban a sus muertos y rendían culto al cuerpo y la belleza. Para ellos, la aromaterapia era parte de la vida cotidiana y estaba presente en los rituales, la astrología, la medicina y la cosmética, y era absolutamente fundamental en el día a día de las clases ricas. Los sacerdotes y médicos egipcios eran grandes conocedores del mundo de los perfumes. Sabían que podían embriagar, pero también que podían conducir a la locura. Por eso protegían las tumbas de los faraones con ciertas esencias alucinógenas para preservarlas de los ladrones. Si alguien inhalaba aquel aroma podía padecer alucinaciones monstruosas y creer que se trataba de una venganza de los dioses.

Fresco, tumba de Sethi I (British Museum). Quemando incienso delante de Osiris.

Los sacerdotes eran los encargados de elaborar inciensos sagrados que se quemaban en honor a los dioses. Para ello utilizaban hasta veinte ingredientes, entre los que destacaban la mirra, el enebro, la casia, el azafrán, la canela o el nardo.

También se utilizaban hierbas con fines médicos, como así lo atestigua el papiro Ebers, un famoso rollo de veinte metros de longitud de la XVIII dinastía que recoge más de ochocientas recetas y remedios médicos, casi todos de origen vegetal. Por ejemplo, para curar la fiebre del heno

¿Sabías que...?

● *Al abrir la tumba de Tutankamon en 1922 se encontraron 35 perfumeros de alabastro con perfumes cuyo aroma aún se podía percibir –a pesar de los siglos–, entre ellos incienso y mirra.*

utilizaban una mezcla de áloe, mirra, antimonio y miel.

El otro gran uso de la aromaterapia era el arte del embalsamamiento, que utilizaban con el propósito de conservar cadáveres. En las vendas se han encontrado restos de plantas con propiedades antisépticas y antibióticas como el gálbano, el clavo, la canela o la nuez moscada.

Mesopotamia

En el reino de Babilonia, situado entre los ríos Éufrates y Tigris, se gestó y desarrolló otra de las medicinas más antiguas. En ella también utilizaban, sobre todo, sustancias de origen vegetal y aceites esenciales en el tratamiento de las enfermedades.

Sus conocimientos nos han llegado a través de las tablillas de arcilla con textos redactados en escritura cuneiforme que detallaban toda una lista de sustancias vegetales. En la preparación de sus remedios naturales no se mencionaban las proporciones, pero se hacía especial hincapié en el momento de la preparación y la aplicación del producto.

Se recomendaba tomarlo poco antes de la salida del sol o durante la noche y las decocciones en las que se echaban las sustancias vegetales se hacían la víspera. De entre las más de doscientas cincuenta plantas utilizadas en los recetarios mesopotámicos, había un buen número que también se utilizaban en Egipto y, más tarde, en la medicina árabe. Por otro lado, se han descubierto en algunos yacimientos arqueológicos algunas vasijas de terracota utilizadas para extraer esencias de cinco mil años de antigüedad, lo que confirma que esta cultura utilizaba los aceites esenciales en sus remedios naturales.

Concha para cosméticos (hacia 700-600 a.C.). Este tipo de conchas, que en este caso presenta tallada una cara de mujer, probablemente se producían en la zona de las actuales Siria y Palestina, y recorrieron Mesopotamia, Egipto, llegando hasta Grecia.

Cilindro con escritura cuneiforme. Babilonia (hacia 539–530 a.C.). Narra la conquista de Babilonia en 539 a.C. por Cyrus, rey de Persia.

El jardín del rey de Babilonia

El rey babilónico **Mardukapalkidine II** (772-710 a.C.) **poseía un jardín en el que se cultivaban más de sesenta especies de plantas medicinales.** Entre ellas se contaban el tomillo, el azafrán, la mostaza, el eneldo, la mirra, las rosas, la mandrágora, la adormidera, el beleño, el boj, el cálamo, la verdolaga, la alcaravea, el cilantro, el hinojo, el enebro, la adelfa, la mostaza y el regaliz. **También se cultivaban árboles frutales** como manzanos y granados, **y verduras** como el ajo, la cebolla, la calabaza o el pepino.

China

La antigua medicina china también utilizaba remedios naturales a base de plantas y, junto a la acupuntura y una correcta alimentación, constituía los fundamentos de lo que en nuestros días nos ha llegado como medicina tradicional china.

El número de productos vegetales empleados en la antigüedad china supera ampliamente los utilizados por cualquier otra cultura hasta el momento. De hecho, la medicina moderna debe muchas de sus formulaciones con plantas a los chinos, que utilizaban con frecuencia, por ejemplo, el ruibarbo, la efedrina, el ginseng y el té.

Curiosamente, las plantas medicinales que mayor empleo tenían, y tienen, en China se corresponden con las que se utilizan en Europa, lo que da fe, sin necesidad de estudios científicos, de la eficacia de las mismas.

Entre ellas destacan la bardana, el estragón, la genciana, el ruibarbo, el ricino, el acónito, la alcaravea, la nuez, el llantén, el regaliz, el melocotón, la granada o el té chino.

La Grecia Clásica

Herodoto, famoso historiador griego, transcribió en el siglo V a.C. un sistema de destilación de la trementina y dio información sobre perfumes y sustancias aromáticas.

Recogiendo la tradición egipcia, Hipócrates, conocido como el «padre de la medicina», utilizó

El tratado chino de farmacología *Pen tsáo kang-mou*, que se publicó inconcluso hacia 1597, recoge 8.160 fórmulas, elaboradas con 1.871 sustancias, **la mayoría de origen vegetal**.

¿Sabías que…?

● *En la antigua Grecia se creía firmemente que para tener una vida sana y tranquila era necesario darse baños de agua aromatizada ya que las esencias tenían la capacidad de curar distintas dolencias.*

Fragmento de una copa para beber griega, en la que se representa una escena de baño.

en el siglo IV a.C. toda clase de plantas y drogas medicinales, entre las que destacan algunos narcóticos, como el opio, el beleño, la belladona o la famosa mandrágora. Entre sus remedios naturales, prescribía vapores perfumados y ungüentos. Además, recomendaba baños de aromaterapia y técnicas de masajes, y realizaba fumigaciones aromáticas para liberar a Atenas de las plagas.

De esa época es la Teoría de las señales o de las signaturas, que prevaleció hasta la Edad Media. La citada teoría defendía que existe una relación entre la forma de las plantas y la enfermedad cuya curación se les atribuía. Por ejemplo, las hojas de la hepática se prescribían para combatir las enfermedades del hígado; los rizomas amarillos del ruibarbo, para la ictericia; las flores y frutos rojos del granado, para las hemorragias; la pulmonaria, para los problemas de pulmón, etc.

Posteriormente, el médico griego Dioscórides, galeno personal de Claudio y Nerón, estudió las plantas medicinales de la cuenca mediterránea y compiló sus conocimientos en cinco volúmenes que tituló *De materia medica*.

Es posible que fuera él quien recomendara a Nerón utilizar aceite de rosas para calmar sus jaquecas o manzanilla como remedio para favorecer la cicatrización de la piel, remedios muy populares en aquella época.

Más adelante, con la caída del Imperio Romano, muchos médicos huyeron a Constantinopla, donde continuaron con su labor. Allí sus obras se guardaron en la biblioteca de Alejandría y se tradujeron al árabe, y fue así como la obra del médico Dioscórides tuvo un impacto decisivo sobre la medicina del mundo árabe.

Frasco de perfume en forma de León (340-300 a.C.). Terracota etrusca. Estas formas animales fueron muy populares en la época etrusca.

Roma

Los médicos griegos fueron pronto requeridos en Roma, donde formaron a discípulos y crearon escuela. Galeno, médico personal de Aurelio, se inspiró en Hipócrates e influyó decisivamente en las siguientes generaciones. En su haber tenía un extenso conocimiento de muchísimas plantas medicinales con las que preparaba sus remedios. Sus estudios le llevaron a crear la división en varios grupos de las sustancias de origen vegetal y fundó la rama de la medicina llamada «galénica», que es la ciencia que estudia y elabora los preparados medicinales. De hecho, hoy en día, y en honor a su nombre, se conocen como «galénicos» los principios activos de los medicamentos.

Los romanos y las termas

Los romanos, inspirados en egipcios y griegos, **desarrollaron las termas, unos baños públicos en los que se utilizaban plantas, flores, maderas y resinas para conseguir baños perfumados y saludables.** Su principal objetivo, sin embargo, era disfrutar del placer de las esencias.

La medicina árabe y Avicena

Abu Alí al Husayn ben'Abd Allah ibn Sina, conocido como Avicena, fue un extraordinario médico árabe que nació en el año 980. Apenas contaba veinte años cuando escribió su famoso compendio de medicina *Canon de la medicina*, libro fundamental en Francia, por ejemplo, hasta muy entrado el siglo XVII.

Es bien sabida la afición de los árabes por las aguas destiladas de plantas y flores, especialmente el agua de rosas. Parece ser que el origen del alambique está en el intento de buscar un sistema que permitiera aprovechar al máximo la esencia de las rosas.

La Europa medieval y el Renacimiento

Las plantas medicinales fueron, necesariamente, la base de muchos de los remedios naturales que se utilizaban en la Edad Media y que, en numerosas ocasiones, eran tachados de brujería.

Carlomagno

El sabio Carlomagno ordenó que en todos los jardines del Imperio debían cultivarse determinadas **especies vegetales de uso terapéutico**. Se inició así un proceso de aclimatación de algunas plantas que hasta entonces eran casi desconocidas en nuestro continente.

Carlomagno según una ilustración (1511) de Alberto Durero.

Sin embargo, en el siglo XII se había implantado la aromaterapia, traída de Oriente de manos de los médicos de las Cruzadas, que trabajaban junto a médicos árabes, de los que aprendieron la gran importancia de la higiene y los aceites.

Al regresar a Europa no sólo llevaban consigo aceites esenciales, sino los conocimientos suficientes sobre la técnica de destilación para poder obtenerlos.

En los siglos siguientes, las órdenes monásticas se encargaron de seguir manteniendo y ampliando los conocimientos sobre fitoterapia, dedicándose al cultivo de plantas medicinales y preparación de los remedios herbales.

En el siglo XIV se quemaba incienso y pino por las calles para combatir las plagas de peste negra, que arrasaron Europa. Y lo mismo ocurrió en la Inglaterra del siglo XVII, que utilizaba la lavanda, la madera de cedro y el ciprés con idéntico fin.

En el siglo XVI, la imprenta contribuyó espectacularmente a difundir los conocimientos sobre plantas medicinales y su destilación, con obras como *New Vollkommen Distillierbuch de Hieronymus Braunschweig* (1597).

Paracelso, médico suizo y alquimista, denominó «quintaesencias» a los aceites esenciales, que utilizó para crear sus medicinas a base de plantas. Sin embargo, el oscurantismo que reinaba todavía en esa época llevó a que fuera castigado y expulsado de la profesión por sus ideas.

En el siglo XVII, el de los inicios de la Revolución Industrial, la población europea empezó a multiplicarse y las condiciones sanitarias de las ciudades empeoraron. A partir de esa época los aceites esenciales serán la base de botiquines médicos y herbolarios. En ese siglo se creó también la profesión de perfumista y empezó a desarrollarse la industria de la perfumería, que hasta entonces había ido asociada a la labor del boticario.

Desarrollo contemporáneo de la aromaterapia

Durante el siglo XIX se empezaron a realizar investigaciones científicas sobre los aceites esenciales que conforman la aromaterapia actual. René-Maurice Gatefossé empleó los aceites esenciales durante la Primera Guerra Mundial para curar heridas de los soldados. Pocos años después, Marguerite Maury se centró también en el estudio de los aceites esenciales desde el punto de vista de la cosmética. Poco a poco, el interés por los aceites se extendió a Gran Bretaña, que se inclinó más por su empleo en estética y masajes, frente al interés médico del país galo.

Otra figura fundamental de la aromaterapia moderna fue el Dr. Jean Valnet, que aplicó sus conocimientos de aromaterapia en la Guerra de Indochina y contribuyó a su difusión en Francia. Robert Tisserand es, también, una de las personalidades más respetadas en el mundo de los acei-

tes esenciales y fue muy importante a partir de los años setenta, principalmente en Gran Bretaña. Desarrolló una amplia investigación y labor docente y creó el centro más prestigioso de formación en aromaterapia hasta el momento, el Tisserand Institute.

En los años 90, Pierre Franchomme y Daniel Pénoël dan a conocer sus investigaciones sobre la química y las aplicaciones terapéuticas de los aceites esenciales. La base científica ha ayudado muchísimo en el estudio y conocimiento de nuevos tratamientos al poder conocer más a fondo las propiedades de cada uno de los aceites. Quedan muchas cosas por descubrir, pero disponemos de muchas experiencias de salud y cosmética gratas y efectivas que queremos describirte en las páginas de este libro.

Gattefossé y la aromaterapia

Gattefossé se quemó un día la mano por accidente en su laboratorio y, de forma instintiva, la introdujo en un recipiente que contenía aceite esencial de lavanda. **Cuál fue su sorpresa cuando vio que horas después la quemadura cicatrizaba bien y no había inflamación.** Se dio cuenta de que lo que consideraba sólo una esencia de perfumería podía tener potentes efectos terapéuticos e **inició la investigación de lo que hoy es la aromaterapia moderna.**

Las esencias y los aceites esenciales

Descubre los aceites esenciales

Las esencias están, como ya te hemos comentado con anterioridad, en el interior de las plantas, y son el producto de unos complejos procesos bioquímicos que tienen lugar en las glándulas secretoras. También se conoce como «esencia» al aroma que contiene la planta, y como «aceites esenciales» al líquido resultante del proceso de extracción de la esencia de la planta. Y de esos métodos de extracción vamos a hablar a continuación.

Esta distinción es algo abstracta, ya que, de hecho, el término «esencia» es más amplio y está poco definido. Por ejemplo, también se llaman «esencias» a los productos obtenidos por cualquier método de extracción que no sea el de destilación y a los productos sintéticos que imitan los aromas naturales o las mezclas de naturales y sintéticos que intentan venderse como aceites esenciales puros a precios ventajosos.

De lo que no cabe duda es de que si se quieren buenos resultados siempre hay que buscar aceites esenciales puros y de máxima calidad, aunque su precio pueda parecer un poco elevado. La extracción de un aceite esencial precisa de una gran cantidad de materia prima de calidad, y no resultan baratos. Sin embargo, como tan sólo precisas algunas gotas, un frasquito pequeño puede ser suficiente para muchas sesiones de

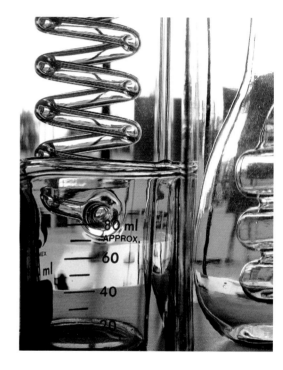

masajes o placenteros baños; así que, al final, su uso no resulta tan caro como podría parecer en el momento de comprar el aceite esencial.

De cada planta se pueden elaborar uno o varios aceites esenciales particulares, porque su producción depende de factores como la radiación solar. Es decir, no tiene las mismas propiedades la lavanda que crece en Francia que la que se recolecta en España. Pero es que, en ocasiones, tampoco

las tienen plantas que crecen en la misma región con condiciones de terreno y horas de insolación distintas. En efecto, estos factores, como la predominancia y el número de horas que la planta está expuesta al sol, inciden directamente sobre la composición química de la esencia que produce, y por eso es importante tener en cuenta el quimiotipo, es decir, la composición química que predomina en un aceite esencial.

También es muy importante que conozcas de qué parte de la planta se ha extraído el aceite esencial. Las glándulas secretoras se pueden encontrar en los frutos, las flores, las hojas, los tallos, las raíces y las semillas. Por eso hay determinados aceites esenciales que se extraen de madera, como el sándalo; o de semillas, como el de angélica o el de apio. En algunos casos, como el del naranjo, se pueden extraer hasta tres tipos de aceites esenciales diferentes: el de la corteza (naranja), el de la flor (neroli o azahar) y el de la hoja (petitgrain). Las propiedades de cada uno son diferentes, por lo que debes tener en cuenta su origen.

Composición química de los aceites esenciales

Los aceites esenciales no tienen una consistencia viscosa, como el nombre de aceite podría hacer pensar. Al contrario, suelen ser líquidos y rara vez

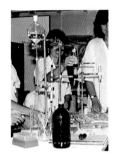

cristalizan. Una de sus características principales, en oposición a los aceites vegetales o grasos, es que son volátiles, es decir, que se evaporan con mucha facilidad. Muchos recuerdan la consistencia del agua o el alcohol, como ocurre con el romero o la lavanda. Otros son viscosos y pegajosos porque son resinas, como la mirra, el incienso o el vetiver, mientras que la rosa damascena es semisólida a temperatura ambiente y líquida a la mínima subida de temperatura.

No obstante, salvo las contadas excepciones de las resinas, suelen ser más ligeros que el agua, aunque no se disuelven en ella. De colores muy diversos, casi nunca corresponden al color de la

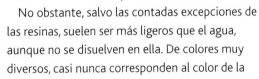

¿Qué es un quimiotipo?

El quimiotipo es el «carnet de identidad» o la «huella digital» de la esencia de cada aceite. En él se describen todos y cada uno de los muchos componentes químicos que están presentes en la esencia de la planta. Esta composición puede llegar a variar mucho no sólo dentro de la misma especie, sino incluso dentro de la misma planta, como ocurre con el tomillo o el romero. **La variación llega a tales extremos que un tipo de tomillo puede tener unas características terapéuticas y otro quimiotipo poseer otras bien distintas.** Por eso es importante comprobar el quimiotipo a la hora de escoger el aceite esencial.

Asimismo, se puede conocer el quimiotipo con la ayuda de una cromatografía en fase gaseosa y por espectrometría.

planta de la que se extraen, y algunos aceites esenciales manchan la ropa.

Su composición química puede ser compleja y es la que les otorga las propiedades terapéuticas. Pueden llegar a contener en sus estructuras químicas más de cien productos químicos que se dividen en categorías clasificadas generalmente como terpenos, ésteres, aldehídos, cetonas, alcoholes, fenoles y óxidos. Esto explica por qué un solo aceite esencial tiene un rango tan amplio de propiedades terapéuticas. Cabe señalar que los alcoholes y ésteres suelen tener unas propiedades curativas suaves y puedes utilizarlos en casa sin ningún tipo de riesgo. En cambio, las cetonas,

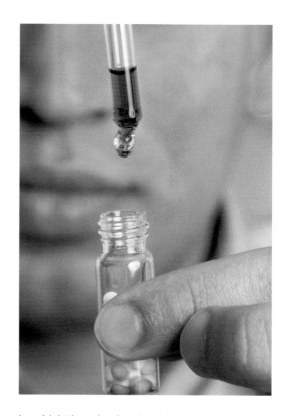

Aceites esenciales de origen biológico

Los aceites esenciales son naturales porque provienen de las plantas, pero también es importante que sean orgánicos. Hoy en día ya existen empresas que sólo producen aceites esenciales de plantas de cultivo biológico y que son las que ofrecen mayores garantías.

Como hemos visto, el quimiotipo es muy importante y varía en función de la zona, el suelo y otros factores externos que influyen directamente sobre la planta. La vida moderna ha traído consigo otros factores no tan naturales que también ejercen importantes modificaciones sobre el quimiotipo. Se trata de los fertilizantes y los pesticidas.

Aunque estas sustancias químicas aumentan el rendimiento del cultivo de plantas medicinales, también pueden persistir en la mezcla que se obtiene al final del proceso de extracción y alterar el efecto deseado sobre la persona a quien se le aplica el masaje o sobre el baño que acabas de prepararte.

los aldehídos y los fenoles deben dejarse en manos de profesionales, ya que sus propiedades terapéuticas son mucho más potentes y un uso irresponsable puede conllevar molestias.

De hecho, los aceites que contienen concentraciones muy elevadas de estos productos químicos se usan poco en aromaterapia —y en dosis muy pequeñas— para conseguir un rápido alivio de un problema muy concreto.

Parece ser que el alto número de productos químicos que contienen los aceites consigue un equilibrio natural y perfecto que impide, por norma general, que se desarrollen efectos secundarios y que se puedan reproducir con exactitud en un laboratorio. Ese equilibrio y sinergia entre los elementos químicos que constituyen los aceites esenciales también inciden en el nivel de toxicidad porque unos componentes se compensan con otros y se neutralizan.

Por eso es fundamental que utilices aceites esenciales naturales y puros, ya que son los únicos que conservan la totalidad de los componentes y en la medida justa, es decir, contienen todas sus propiedades y beneficios. Además, poseen lo que los terapeutas denominan «aliento de vida» o «fuerza vital», que proviene de su origen y equilibrio naturales.

El cromatógrafo de gas separa los componentes principales de los aceites esenciales controlando la «huella química» producida por los mismos. Sin embargo, la estructura de la esencia en su estado natural es mucho más compleja y se encuentra más allá de la posibilidad de conseguir una réplica exacta del aroma mediante la mezcla de los diferentes componentes químicos en un laboratorio. No obstante, vamos a describir algunos de los principales componentes que se encuentran en los aceites esenciales y sus efectos terapéuticos principales.

La energía de los aromas

 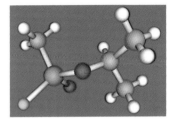

Los investigadores franceses Penoel y Franchomme defienden que la carga eléctrica de las moléculas aromáticas es una parte fundamental de la propiedad terapéutica de los aceites esenciales.
En sus estudios han comprobado que las moléculas toman o ceden electrones. En consecuencia, las moléculas que ceden electrones, denominadas «aniones», tienen un efecto «negativante» que se traduce en unas propiedades **relajantes y calmantes**. Por el contrario, las moléculas que toman electrones, o cationes, son «positivantes» y poseen unas propiedades **tonificantes y estimulantes**. Como ejemplo de aniones están los aldehídos, las cetonas, los ésteres y los sesquiterpenos.

Los cationes más conocidos son los ácidos, las cumarinas, las lactonas, los aldehídos aromáticos, los fenoles, los alcoholes, los óxidos, los fenoles metil-éter y los terpenos.
Esto explicaría, desde una visión energética, por qué unos aceites esenciales son relajantes y otros estimulantes. Como casos más representativos tenemos la lavanda y el romero, respectivamente.
Sin embargo, existen unos pocos aceites esenciales que tienen la capacidad de «normalizar».
El hisopo aumenta la presión sanguínea baja y disminuye la presión sanguínea alta.
De la misma forma, la **bergamota** y el **geranio** pueden sedar o estimular de acuerdo a las necesidades personales.

PRINCIPALES COMPONENTES QUÍMICOS DE LOS ACEITES ESENCIALES

ÁCIDOS

De propiedades antiinflamatorias, se encuentran en pequeñas cantidades o combinados con alcoholes formando ésteres (ácido geránico, ácido canfolénico).

ALCOHOLES

Moléculas dotadas de buenas propiedades antiinfecciosas, aunque son menos potentes que los fenoles.
Ejemplos: alfa-terpineol, citronel, geraniol, linalol, mentol, nerol, terpineol-4, tuyanol.

ALDEHÍDOS

Son muy comunes y tienen una potente acción antiinflamatoria.
Ejemplos: citrales (geranial, neral, citronel, cuminal).

CETONAS

Tienen importantes propiedades mucolíticas y cicatrizantes, pero deben utilizarse con cuidado y prescritas por un especialista debido a su neurotoxicidad.

Ejemplo: alcanfor (borneona), carvona, criptona, fenchona, mentona, pulegona, tuyona, berbenona.

CUMARINAS

Tienen una escasa presencia en los aceites esenciales, pero su acción sedante y anticoagulante es muy potente, como en el caso del dicumarol. Las furocumarinas son sensibilizantes (bergapteno), por lo que los aceites esenciales que las contienen, como el de bergamota y los cítricos en general, no deben aplicarse antes de tomar el sol.

ÉSTERES

Suelen tener una acción antiespasmódica sutil y son moléculas aromáticas resultantes de la combinación de un ácido y un alcohol (acetatos, benzoatos, butiratos, formiatos, propionatos, tigliatos).

ÉTERES

Moléculas compuestas por un núcleo fenólico y un grupo funcional (metil). Algunos éteres de potente acción antiespasmódica son el atenol (anís, badiana, hinojo) y el estragol (albahaca, estragón).

FENOLES

Familia aromática conocida por su potentísima acción antiinfecciosa y estimulante del sistema nervioso central. Comprende, entre otros, australol, carvacrol, eugenol y timol. Los aceites que los contienen sólo pueden utilizarse bajo supervisión de un especialista porque son muy irritantes.

LACTONAS

Es una familia química muy amplia que tiene excelentes propiedades mucolíticas y expectorantes. Sin embargo, sólo puede emplearse bajo la supervisión de un especialista porque su aplicación cutánea puede provocar alergia.

ÓXIDOS

Moléculas aromáticas que contienen un átomo de oxígeno. El más habitual es el 1.8 cineol (eucaliptol), de reconocida acción respiratoria.

TERPENOS

Moléculas compuestas únicamente por átomos de carbono e hidrógeno. Los más conocidos son los pinenos (coníferas), el limoneno (cítricos) y el felandreno. Tienen propiedades energizantes a nivel físico y si se pulverizan en el medio ambiente son potentes antiinfecciosos y antisépticos.

Volatilidad

Todos los aceites esenciales tienen una característica común: la volatilidad. Es decir, que sus principios aromáticos se evaporan con facilidad si se dejan expuestos a la luz del sol o no se conservan cerrados herméticamente. Esta característica es la principal diferencia con los aceites fijos o lípidos, como el de almendras o el de germen de trigo, por ejemplo, y que la aromaterapia utiliza como aceites portadores.

Sin embargo, no todos los aceites esenciales tienen la misma volatilidad. De hecho, cuanto más pequeñas son sus moléculas más pronto se evaporan, del mismo modo que cuanto mayores son sus moléculas, más pesado y menos volátil es el aceite esencial.

Asimismo, la calidad de un aceite esencial puede medirse en su volatilidad. A más calidad, mayor volatilidad del aceite. Y esto es así por un motivo bien sencillo. Lo que queremos decir es que un aceite esencial de origen sintético siempre conserva su aroma, que suele ser penetrante y uniforme, porque, precisamente, no está compuesto únicamente por ingredientes naturales.

En cambio, los aceites esenciales naturales se evaporan con mucha facilidad. De este modo, para una correcta conservación, deben permanecer en frascos de cristal oscuro y al abrigo de la luz para no perder sus propiedades terapéuticas y su perfume.

Y es que el perfume también puede ser terapéutico y nos ayuda a actuar sobre las emociones, los procesos intelectuales, la memoria, la capacidad de aprendizaje y, cómo no, la respuesta sexual.

El tipo de perfume de cada uno nos brinda, pues, una nueva oportunidad para clasificar los aceites esenciales. Los entendidos en perfume los han clasificado basándose en los mismos términos que la música, es decir, con notas altas, notas medias y notas bajas. De este modo, si un aceite se compone de moléculas pequeñas, es decir, se trata de un aceite muy volátil, se dice que forman las notas altas de un aroma, lo que primero capta el olfato.

A continuación captamos las notas medias y, por último, las notas bajas, que son las últimas en evaporarse y en llegar a nuestro olfato. Como decíamos, las notas altas o de salida de un aceite esencial se evaporan con rapidez y mantienen su perfume durante poco tiempo, una hora aproximadamente.

Esta volatilidad se debe principalmente a los componentes cítricos, verdes, aromáticos y flores blancas, y sus efectos olfativos son frescos y etéreos. Entre ellos destacan la bergamota, la lavanda, el cilantro y el limón. Si forman parte de un conjunto de aceites esenciales serán los primeros que percibiremos, porque se trata de aromas frescos, cítricos y claros.

En el caso de la nota media, que también recibe el poético nombre de «corazón», son aceites esenciales con un perfume más cálido, que dan plenitud a la mezcla y que, además, duran un poco más. Si están mezclados con perfumes de nota alta, sólo surgirán cuando aquéllos desaparezcan, es decir, al cabo de una hora, y desaparecerán al cabo de dos o tres horas más.

Son la parte central del perfume y la aportan los aldehídos, los frutos, las flores y las especias. El ylang ylang, el amaro o la rosa son algunos de los aceites con «corazón» más populares. Sus aromas dulces, fragantes y agradables confieren volumen, riqueza y exotismo.

Por último, la nota baja es la más tenaz y corresponde a aromas más pesados, que perduran en nuestra piel y ayudan a fijar el conjunto de las esencias o aceites esenciales que forman un perfume o un preparado de aceites. Su aroma surge al cabo de tres o cuatro horas y pueden permanecer en tu piel más de un día.

Estas notas bajas son, asimismo, amaderadas, orientales, ambaradas y animales, como el pachulí, el sándalo o el vetiver. Sus aromas profundos, dul-

zones y penetrantes dan persistencia y carácter al perfume.

En el cuadro de la página siguiente te ofrecemos una amplia categorización de los aceites esenciales en función de su volatilidad. Existen algunos que están a medio camino entre una nota y otra, y que te pueden ayudar a equilibrar una mezcla.

Principios activos y propiedades terapéuticas

Los principios activos de las plantas pasan inalterados a los aceites esenciales y nos proporcionan todos sus beneficios terapéuticos cuando penetran en nuestro organismo.

Muchos de esos principios activos se han logrado sintetizar en un laboratorio y son la base de medicamentos que se prescriben a diario en las consultas médicas.

Como sabes, en la aromaterapia su efecto es beneficioso, excepto en algunos casos concretos, y nuestro cuerpo y nuestra mente reaccionan positivamente a su acción terapéutica. Por otro lado, esta acción puede manifestarse de formas muy diferentes, que te vamos a describir en el cuadro de la página siguiente.

Hemos agrupado los principales efectos fisiológicos en categorías, de la misma forma que se hace con los medicamentos, y te damos un escueto apunte de los aceites esenciales que pueden ayudarte en caso de que tu mente o tu cuerpo precisen ese efecto fisiológico.

Volatilidad de los aceites esenciales

Alta

ACEITE ESENCIAL

- Albahaca
- Angélica
- Bergamota
- Cardamomo
- Eucalipto
- Hinojo
- Lavanda
- Mandarina
- Menta
- Naranja
- Petit-grain
- Pomelo

Media—Alta

ACEITE ESENCIAL

- Absoluto de rosa
- Aguja de pino
- Camomila
- Clavo (ambientador)
- Enebro
- Geranio
- Lavanda, Neroli
- Palmarrosa
- Pimienta negra
- Rosa damascena
- Salvia esclarea
- Menta, Naranja
- Petit-grain
- Pomelo

Media—Baja

ACEITE ESENCIAL

- Absoluto de flor de azahar
- Ciprés, Jazmín
- Mirra, Rosa
- Vainilla
- Ylang ylang

Baja—Media / NOTA

- Cedro
- Incienso
- Jazmín
- Mirra
- Sándalo

Baja / NOTA

ACEITE ESENCIAL

- Cedro
- Incienso
- Pachulí
- Sándalo
- Vetiver

Alta—Media / NOTA

- Albahaca
- Angélica
- Bergamota
- Cardamomo
- Geranio
- Hinojo
- Lavanda
- Neroli
- Petit-grain

Media / NOTA

- Absoluto de flor de azahar
- Absoluto de rosa
- Aguja de pino
- Clavo (ambientador)
- Corteza de canela (ambientador)
- Enebro, Geranio
- Jengibre, Lavanda
- Mejorana, Neroli
- Palmarrosa, Pimienta negra
- Romero, Rosa damascena
- Salvia esclarea
- Vainilla, Ylang ylang

Propiedades terapéuticas de los aceites esenciales

PROPIEDAD TERAPÉUTICA	DESCRIPCIÓN	ACEITES ESENCIALES
Afrodisíacos	Se les atribuyen una estimulación del deseo sexual.	Hinojo, Jazmín, Neroli, Pachulí, Romero, Rosa, Salvia esclarea, Sándalo, Ylang ylang.
Analgésicos	Calman o alivian el dolor.	Árbol del té, Bergamota, Cajeput, Lavanda, Manzanilla, Menta, Romero.
Antidepresivos	Ayudan a superar estados depresivos.	Albahaca, Bergamota, Geranio, Jazmín, Lavanda, Manzanilla, Melisa, Naranja, Neroli, Pachulí, Rosa, Salvia esclarea, Sándalo, Ylang ylang.
Antiespasmódicos	Capacidad de calmar o aliviar los espasmos o calambres musculares.	Cajeput, Eucalipto, Enebro, Hinojo, Salvia, Manzanilla, Mejorana, Naranja dulce, Pimienta negra, Romero, Rosa, Lavanda.
Antiinflamatorios	Reducen la inflamación.	Cajeput, Lavanda, Manzanilla, Menta, Rosa.
Antisépticos	Aunque casi todos los aceites esenciales tienen esta propiedad de matar gérmenes, existen algunos con una capacidad antiséptica mucho más potente.	Árbol del té, Bergamota, Enebro, Eucalipto, Lavanda, Limón, Naranja dulce, Pino, Romero, Sándalo, Tomillo.
Astringentes	Reducen la afluencia de fluidos corporales y contraen los tejidos.	Cedro, Ciprés, Geranio, Incienso, Limón, Mirra, Pachulí, Rosa, Salvia esclarea, Sándalo.
Carminativos	Calman o alivian la flatulencia y el meteorismo.	Cardamomo, Clavo, Hinojo, Jengibre, Manzanilla, Menta.
Cicatrizantes	Promueven la formación de nuevos tejidos.	Incienso, Lavanda, Neroli, Rosa, Sándalo.
Desodorantes	Neutralizan el mal olor corporal y dan una fragancia fresca.	Árbol del té, Ciprés, Citronela, Eucalipto, Lavanda, Romero.
Diuréticos	Favorecen la eliminación de líquido a través de la orina.	Cedro, Ciprés, Enebro, Geranio, Hinojo, Lavanda, Limón, Pachulí, Pomelo, Salvia esclarea.

PROPIEDAD TERAPÉUTICA	DESCRIPCIÓN	ACEITES ESENCIALES
Emenagogos	Promueven y estimulan el flujo menstrual.	Albahaca, Hinojo, Hisopo, Lavanda, Limón, Manzanilla, Salvia esclarea, Sándalo.
Estimulantes	Contribuyen a estimular el rendimiento físico e intelectual.	**Corporal:** Geranio, Pimienta negra, Romero, Rosa, Tomillo. **Mental:** Albahaca, Árbol del té, Eucalipto, Limón, Menta, Tomillo.
Fungicidas	Combaten o inhiben el desarrollo de hongos microscópicos.	Árbol del té.
Hepáticos	Mejoran las funciones hepáticas.	Cardamomo, Limón, Manzanilla, Menta, Rosa.
Hipertensivos	Ayudan a elevar la presión sanguínea baja.	Romero.
Hipotensivos	Ayudan a bajar la presión sanguínea alta.	Geranio, Lavanda, Limón, Melisa, Ylang ylang.
Nervinos	Promueven el equilibrio en los trastornos nerviosos.	Albahaca, Bergamota, Ciprés, Geranio, Jazmín, Laurel, Lavanda, Limón, Mandarina, Manzanilla, Mejorana, Melisa, Menta, Naranja, Neroli, Pachulí, Rosa, Salvia esclarea, Sándalo.
Rubefacientes	Contribuyen a aumentar el flujo de sangre periférico.	Cajeput, Coriandro, Enebro, Eucalipto, Jengibre, Pimienta negra, Romero.
Sedantes	Ayudan a calmar el estado de ánimo y los trastornos nerviosos.	Manzanilla, Mejorana, Mirra, Neroli, Salvia, Sándalo, Ylang ylang.
Tonificantes	Vigorizan el organismo o una zona determinada.	Albahaca, Cardamomo, Enebro, Geranio, Hinojo, Hisopo, Incienso, Jazmín, Lavanda, Manzanilla, Mejorana, Melisa, Mirra, Pachulí, Pimienta negra, Rosa, Salvia esclarea, Sándalo.
Vasoconstrictores	Ayudan a la constricción de capilares y venas.	Alcanfor, Ciprés, Manzanilla, Menta.
Vermífugos	Ayudan a expulsar lombrices intestinales.	Alcanfor, Bergamota, Eucalipto, Hinojo, Hisopo, Lavanda, Manzanilla, Melisa, Menta.
Vulnerarios	Promueven la curación de cortes, llagas y heridas.	Alcanfor, Benjuí, Bergamota, Enebro, Eucalipto, Geranio, Hisopo, Incienso, Lavanda, Manzanilla, Mirra, Romero.

Métodos de extracción

Existen varios métodos de extracción, en función de la parte de la planta de la que se desea obtener el aceite esencial y también de la calidad y el valor terapéutico que quieran extraerse de dicha planta.

De cada uno de los métodos de extracción, si la planta permite más de uno, se obtiene un producto diferente porque cada uno extrae de la planta diversos componentes. Lo que sí tienen todos en común es que se trata de métodos trabajosos y largos porque, según su localización, necesitan de una liberación lenta de los principios aromáticos. Además, siempre se precisan grandes cantidades de materia prima para poder conseguir una cantidad mínima de aceite esencial. Por ejemplo, para conseguir un kilo de aceite esencial de lavanda se necesitan nada menos que dos cientos kilos de flores de lavanda frescas.

Si en vez de lavanda, deseamos obtener aceite esencial de rosa, se precisan entre dos y cinco toneladas de pétalos de rosa para obtener el kilo de aceite esencial. Y si lo preferimos de limón, deben someterse al método de extracción nada menos que tres mil limones. Estos ejemplos nos ayudan también a entender por qué pueden parecer caros los aceites esenciales. Y decimos «parecer» porque, en realidad, la mayoría no lo son. Si tenemos en cuenta que tan sólo se precisan algunas

gotas para poder disfrutar de sus beneficios terapéuticos o cosméticos, no es difícil llegar a la conclusión de que aquel frasquito que nos parece caro nos va a durar mucho tiempo.

Destilación al vapor

Éste es, sin duda, el sistema más empleado para obtener aceites esenciales puros. Tiene miles de años de historia y todavía se practica, aunque con aparatos más modernos. En su día, los egipcios ponían en grandes vasijas de barro el agua y la materia prima y las sometían al calor. Después, hacían pasar el vapor de agua a través de varias capas de tela de lino o de algodón con las que tapaban la boca de la vasija. Finalmente, escurrían las telas, que dejaban ir las preciadas gotas de aceites esenciales. Después, Avicena inventó el alambique, y desde entonces se ha ido mejorando esta técnica que no ha variado en sus principios.

La destilación no puede aplicarse a todas las plantas porque precisa de temperaturas muy elevadas y no todas lo pueden soportar. Se utiliza sobre todo en la familia de las labiadas, como la menta, y es imposible de aplicar en los pétalos de flores, cuyos componentes químicos no soportan dichas temperaturas. En ellas, las glándulas de aceite esencial se encuentran en las hojas y, por lo tanto, es fácil extraer la esencia.

Tres imágenes de la película El perfume: historia de un asesino, dirigida por Tom Tykwer y basada en la novela homónima del alemán Patrick Süskind, ambientada en la Francia del siglo XVIII. En ella, un joven que tiene una capacidad extraordinaria para captar los olores entra en el taller de un prestigioso perfumista y consagra su vida a conseguir el perfume definitivo, para lo que no dudará en sacrificar vidas humanas.
Una bella y lírica hipérbole de la pasión por los perfumes llevada a la locura.

El método consiste en destilar en un alambique la planta troceada. Una vez bien comprimidos los trozos de hojas en su interior, se somete el alambique a la acción directa del vapor de agua, y por eso también se denomina «método de extracción de arrastre por vapor de agua». La alta temperatura de su interior se encarga de hacer estallar las glándulas llenas de esencia que se evapora y se mezcla con el vapor de agua. Después, ese vapor de agua se arrastra hacia un serpentín, un sistema de refrigeración que tiene por objeto enfriar el vapor de agua para convertirlo en líquido.

De esta forma, se obtiene un líquido mixto que se compone de aceite esencial y de hidrolato, o lo que es lo mismo, del agua de la destilación.

Por lo general, los aceites esenciales tienen menos peso específico que el agua y por este motivo pueden separarse con facilidad. Sin embargo, existen unos pocos casos en los que el aceite esencial pesa más que el agua, como el de mandarina, y el sistema de separación es el de densidades.

Siguiendo con el método de extracción por destilación al vapor, el líquido obtenido a base de agua destilada y de aceite esencial se decanta en un florentino, donde se separan, y así se consigue el aceite esencial. El hidrolato no se utiliza tanto como el aceite esencial, aunque contiene valiosas sustancias hidrosolubles de las plantas, y otras liposolubles, es decir, sustancias que se disuelven en agua y en grasa.

Sin embargo, este producto tiene aplicaciones muy interesantes, sobre todo en cosmética y en repostería. Entre los hidrolatos más conocidos están el agua de rosas, de melisa, de hamamelis y de azahar. Hay líneas de cosmética natural que los comercializan, aunque generalmente las «aguas» de rosas y azahar que encontramos en el mercado están compuestas por agua con esencias sintéticas solubilizadas y, evidentemente, no tienen las propiedades beneficiosas de las plantas.

Por eso es fundamental que adquieras productos de calidad y, sobre todo, de origen natural.

Expresión

Conocido también como «estrujado», es el sistema por excelencia de extracción de aceites esenciales de cáscaras de cítricos, que contienen una gran cantidad de esencias en ellas. Los más conocidos son el limón, la lima, la naranja, la mandarina, el pomelo y la bergamota.

En sus inicios era un proceso manual que recogía la esencia en esponjas tras un largo y laborioso proceso. Actualmente se ha industrializado el

proceso y se obtiene a la vez el zumo y la esencia por medio de fuerza centrífuga.

El producto que se extrae mediante este sistema tiene una vida más corta que el extraído por destilación. No se trata de un aceite esencial, porque la sustancia obtenida de la cáscara del cítrico no ha sufrido ninguna alteración. Es una esencia que no ha sido sometida ni al calor ni a la destilación de ninguna forma y que puede ser de dos tipos: volátil y no volátil. Sin embargo, en el resto de métodos de extracción sólo se obtiene la parte volátil de la esencia, es decir, la que tiene la capacidad de evaporarse o disolverse y, por lo tanto, son aceites esenciales.

Extracción mediante disolventes volátiles

Se trata del sistema más utilizado actualmente y consiste en hacer pasar disolventes volátiles calientes a través de las plantas para conseguir disolver sus sustancias aromáticas en el líquido. Una vez saturados de esencias, se evaporan los disolventes y queda el principio natural aislado. El inconveniente de este método es que es imposible llegar a eliminar por completo el residuo químico de disolventes de los aceites esenciales. Y los que se utilizan suelen ser tóxicos y peligrosos. En la actualidad, los más utilizados son el hexano y el éter del petróleo. Como es imposible evitar que en el producto quede alguna mínima traza de estos

Las rosas damascenas crecen, entre otros lugares, en el valle M'Gouna, en Marruecos. Los granjeros las venden por docenas para elaborar agua de rosas y aceites esenciales.

disolventes, es fundamental que jamás se utilicen estos aceites esenciales por vía interna.

Donde sí se utiliza mucho este método es en perfumería, porque es más rentable y no se persiguen fines terapéuticos, pero en aromaterapia hay que utilizar aceites esenciales obtenidos por destilación en vez de por extracción mediante disolventes volátiles.

El aceite esencial obtenido por este proceso se denomina «concreto». Este producto contiene todas las sustancias aromáticas, pigmentos y ceras que se puedan extraer de cualquier planta y tiene una consistencia cerosa, pero no presenta el equilibrio adecuado de componentes químicos para poderlo utilizar en una terapia. Se puede utilizar en plantas o en resinas, en cuyo caso se denomina «resinoide».

Este método se utiliza en aquellas plantas que no soportan el calor, como es el caso de las flo-res, y se ha impuesto por completo al sistema clásico que se utilizaba anteriormente con los mismos fines, el enflorado (*enffleurage*). El concreto más característico de este método de extracción es el de jazmín.

Enflorado

Con este nombre se conoce al método clásico por antonomasia de extracción de principios aromáticos con fines cosméticos y perfumistas. Se utilizaba sólo con flores, que por su estructura no pueden someterse a las altas temperaturas del método de destilación por vapor y de él se obtenían carísimos perfumes.

En el enflorado al calor se disponen las flores en capas finas sobre bandejas untadas de grasa inodora que son sometidas al suave calor del sol o de un baño María durante el tiempo necesario para que absorban la esencia. Después, esta grasa

se filtra a través de telas de lino o algodón y se consigue una pomada o ungüento perfumado, que se lava con alcohol puro para lograr un extracto líquido libre de grasa.

En el enflorado en frío se utiliza también grasa, que suele ser de cerdo, pero no se somete al efecto del calor. Simplemente, se impregna las veces que sean necesarias hasta que quede bien saturada de esencia. A continuación, se trata el producto con alcohol en frío para conseguir extraer la esencia de la grasa y obtener el absoluto. Este laborioso sistema apenas se utiliza en la actualidad, ya que la extracción por disolventes da los mismos resultados, pero fue el método por antonomasia en la Provenza francesa, la cuna occidental del perfume.

Dilución

A partir de un concreto se puede extraer un absoluto. En este método, el concreto se lava con un alcohol fuerte en el que se disuelven algunos elementos. Después se deja evaporar el concreto y se obtiene ese absoluto, que posee una composición química distinta y unos fines diferentes también.

Este método se utiliza para tratar resinoides, es decir, gomas y resinas de árboles como la mirra, el incienso o el gálbano.

Para extraerlas de los árboles se provoca la exudación de las mismas por medio de un golpe

o una pequeña incisión en el tronco y luego se tratan para conseguir estos absolutos.

No podemos evitar el comentario de que las resinas que contienen estos alcoholes resinoides tienen una estructura química similar a los esteroides humanos, es decir, a las hormonas masculinas y femeninas, por lo que inciden directamente sobre su estimulación.

Extracción CO_2 supercrítico

Este moderno método hace pasar por la masa vegetal una corriente de CO_2 que ha sido capta-

da de la atmósfera y convertida en líquido. Este conjunto se somete a una presión de 73,80 bares y 31 °C, condiciones que consiguen que el CO_2 pase a estado supercrítico y se convierta en un eficaz disolvente de los componentes químicos de la masa vegetal. Como no se utilizan altas temperaturas, se obtiene un absoluto de color claro y brillante y con un aroma muy fiel al de la planta antes de ser sometida a este proceso de extracción. Una de las grandes ventajas de este método es que no genera contaminantes, además de respetar la esencia original.

Aceites macerados

Un sistema similar, pero no tan laborioso ni con las mismas propiedades químicas, es el de los aceites macerados. En este caso, el método consiste en macerar en aceites o sustancias grasas en caliente los vegetales. No contiene aceites esenciales ni esencias, sino que es un aceite macerado o un extracto oleoso que tiene algunas propiedades de las plantas que se han infusionado, como el hipérico, la caléndula o la árnica.

Sin embargo, también son beneficiosos y se trata de aceites portadores muy ricos a los que se pueden añadir los aceites esenciales.

Los métodos modernos para elaborar aceites esenciales combinan los principios teóricos de la aromaterapia «clásica» con las maquinarias más avanzadas, como se aprecia en la imagen de la izquierda.

Propiedades antiinfecciosas de los aromas

Es un hecho plenamente documentado que, antiguamente, los perfumistas eran a menudo inmunes a la peste, lo que condujo al desarrollo del infame **vinagre de los Cuatro Ladrones** (una mezcla de ajo y de esencias de plantas aromáticas suspendidas en vinagre), que se llamó así después de que cuatro ladrones, durante la Gran Plaga en Marsella en 1722, se rociasen alegremente con ella antes de saquear los cuerpos de las víctimas de la peste. **Los cuatro vivieron para contar el cuento y para saquear de nuevo con impunidad.**

Cuando fueron detenidos, lograron salvarse de la condena porque revelaron el secreto de la milagrosa fórmula a las autoridades.

El alcalde mandó escribir carteles con la fórmula y los pegó en todos los muros de la ciudad para que los marselleses pudieran confeccionar el milagroso vinagre en sus casas. **Parece ser que este vinagre tenía la capacidad de ahuyentar a los insectos, que eran los principales transmisores de la temida peste** de la primera mitad del siglo XVIII.

Los aceites vegetales: portadores de esencias

Los aceites esenciales tienen propiedades cosméticas y terapéuticas, pero, en la mayoría de ocasiones, no se pueden aplicar directamente sobre la piel. Se precisan unas cantidades ínfimas, y la forma de que todos sus beneficios penetren en toda nuestra piel es añadiéndolos a un aceite de masaje. Este aceite de masaje es de origen vegetal y no se evapora, ya que pertenece a una familia bioquímica distinta a la de los aceites esenciales. Forma parte, desde el punto de vista químico, de los lípidos y en la naturaleza se encuentra en diferentes tipos de plantas oleaginosas y semillas.

Este tipo de aceite se llama en aromaterapia «aceite portador» o «de base». En realidad, su función es ésa: llevar partes infinitesimales de los valiosos aceites esenciales a todos los poros de nuestra piel. Con sus características lubricantes facilita los movimientos de masaje y su correcta distribución.

Sin embargo, el aceite portador también repercute en nuestra salud por sus propias características y se utilizan de diferentes tipos en función del resultado final deseado que aportan sus propiedades físicoquímicas y terapéuticas. En función del tipo escogido puede tener propiedades regeneradoras, emolientes, antioxidantes y vitamínicos.

Una vez más, la aromaterapia aprovecha los beneficios que le ofrece la naturaleza y nos proporciona el bienestar de sus aceites esenciales en sus aceites de base.

De hecho, se puede considerar un aceite de base a cualquier aceite vegetal que no tenga perfume, pero que sea por expresión en frío, para que mantenga todas sus propiedades y no nos aporte ningún elemento tóxico como producto del refinado de aceites, como son los disolventes o los procesos de prensado a altas temperaturas. El término no es del todo exacto, ya que el proceso en sí produce un aumento de la temperatura, pero ésta permanece siempre por debajo de los 60 °C. Una vez obtenidos, se dejan enfriar y se tienen entonces aceites con unas características naturales prácticamente inalteradas, es decir, son aceites vírgenes.

Si reúnen estos requisitos, podríamos utilizar tranquilamente un aceite de oliva, de soja o de girasol, pero son aceites muy densos y dejan en la ropa manchas difíciles de quitar. Por eso se suele utilizar el de almendras dulces, el de pepita de uva o el de sésamo, por ejemplo. Cada uno tiene sus propiedades y aplicaciones específicas, y es importante tener en cuenta qué aceite de base utilizar en cada caso, ya que puede enriquecer las propiedades terapéuticas del masaje con sus propios beneficios.

Debes tener en cuenta que se trata de productos naturales y que se pueden volver rancios con cierta facilidad. Para evitarlo, debes comprarlos en cantidades moderadas y conservarlos en recipientes adecuados, al abrigo de la luz y del calor. Los aceites refinados, que resultan de procesos más elaborados, tienen una vida más larga, pero carecen de los beneficios de los aceites vírgenes. Por eso debes utilizar siempre aceites vegetales de primera expresión en frío y sin refinar.

Además, es muy recomendable que adquieras aceites de origen biológico controlado para que no presenten trazas de pesticidas, fungicidas o fertilizantes en su composición.

Tienes un amplio abanico para escoger. El criterio a la hora de elegir puede basarse en sus propiedades terapéuticas, cosméticas o, simplemente, de textura. A continuación te describimos los que más se utilizan para que puedas tener una idea más concreta.

LOS ACEITES PORTADORES MÁS UTILIZADOS

AGUACATE

El aceite de aguacate, de característico olor y tono verdoso, no se utiliza solo, sino como parte de la mezcla, de la que suele significar un máximo del 10 %. Es un aceite viscoso cuyos ácidos grasos, vitaminas B, C y E, y proteínas nutren la piel y, como se absorbe con facilidad, llega a las capas profundas de la epidermis. Además, es muy útil en verano, porque protege de la acción nociva de los rayos solares. Otras aplicaciones cosméticas son los tratamientos de pieles deshidratadas y maduras, que responden muy bien al masaje facial con un preparado que contenga aceite de aguacate. También está muy indicado para pieles que presenten eccemas, descamaciones o grietas, y para prevenir la aparición de estrías.

ALMENDRAS DULCES

Es uno de los más utilizados por su textura untuosa, que lo convierte en muy apropiado para dar masajes porque tiene poca absorción y se puede prolongar la sesión sin tener que añadir aceite continuamente. Esta característica también lo convierte en un excelente protector de la piel, por lo que resulta ideal para bebés y para cualquier tipo de epidermis. Se obtiene de la semilla de un árbol que se cultiva en el sur de Europa (*Prunus amygdalus* var. *dulcis*) y es difícil encontrar en el mercado un aceite de almendras dulces de cultivo biológico, de primera expresión en frío y puro, ya que suele adulterarse con aceite de girasol. De color amarillo pálido, suave sabor y olor y viscosidad media, contiene una gran proporción de ácidos monoinsaturados y poliinsaturados. Además, también tiene vitaminas A, B1 y B6, y una pequeña cantidad de vitamina E que impide que se enrancie con facilidad.

Como propiedades terapéuticas se pueden destacar sus características antiespasmódicas, calmantes y suavizantes. Por eso está muy indicado para tratar eccemas (como la dermatitis del pañal) y cualquier tipo de irritación, picor o escozor de la piel.

AVELLANAS

Es un aceite con una textura muy líquida y ligera, que no deja sensación de grasa en la piel, así que si debes aplicártelo varias veces al día resulta muy indicado. Da muy buenos resultados en las pieles con eccemas o dermatitis y para los masajes deportivos o tónicos. Su textura también lo hace recomendable en el tratamiento de los cutis grasos o mixtos.

GERMEN DE TRIGO

De color oscuro y penetrante olor, es viscoso y no es un buen lubricante. Sin embargo, es una gran fuente de vitamina E, por lo que nutre y revitaliza la piel. Por eso, no se utiliza como aceite portador, sino que se añade en una dilución de un 10 % de la proporción total para alargar la conservación de la mezcla de otro aceite base y aceites esenciales. Con ello, se consigue que un aceite de masaje pueda durar seis meses en vez de unas pocas semanas. Es importante reseñar que no puede utilizarse en aquellas personas que sean alérgicas al trigo, ya que puede provocar una reacción contraria al efecto buscado, como inflamación o irritación.

JOJOBA

Este aceite se obtiene de una planta desértica (*Simmondsia chinensis*) y su textura recuerda a la cera líquida natural y se suele utilizar para espesar cremas. De hecho, su composición química es similar al aceite que segregan nuestras glándulas sebáceas. Como es muy rico en vitamina E no se enrancia, y ayuda a conservar otros aceites, por lo que se suele añadir una pequeña proporción en las mezclas para prolongar su efectividad. Su textura casi seca no lo hace recomendable para masajes corporales, pero da muy buenos resultados en cremas faciales. Se suele utilizar para tratar el cutis porque no es graso y se absorbe con facilidad. Tiene propiedades nutritivas, suavizantes y, sobre todo, antioxidantes, lo que ayuda a retrasar el proceso de envejecimiento de las células. Además, protege de las radiaciones, sean solares o del ordenador, por ejemplo.

Por último, mencionar que tiene propiedades antibacterianas y que resulta de gran utilidad en los tratamientos de pieles con tendencia acnéica.

PEPITA DE UVA

Este aceite es muy puro y no huele, por lo que permite que el aroma de los aceites esenciales permanezca intacto. Además, su textura ligera no deja la piel grasa y es de los más utilizados en los masajes corporales, ya que es muy ligero y penetrante y permite vestirse después de la sesión sin temor a que la ropa se manche. Su alto contenido en poliinsaturados estimula el colágeno y la elastina y sus antioxidantes ayudan a neutralizar los radicales libres, responsables del envejecimiento celular.

Como tiene una ligera propiedad astringente, resulta muy indicado para el tratamiento de pieles jóvenes y con tendencia acnéica.

ROSA MOSQUETA

Se extrae de las semillas del fruto de este arbusto de la familia de las rosáceas (*Rosa off. Rubiginosa linee*) que crece de forma silvestre en climas lluviosos y fríos, aunque en la actualidad también se cultiva para la extracción de su aceite. Sus tallos y ramas están cubiertos de espinas y en la antigüedad era un arbusto muy apreciado para fabricar vallas en conflictos armados y disputas de territorios. Este preciado aceite tiene grandes propiedades y posee hasta un 80 % de ácidos grasos poliinsaturados que ayudan a regenerar las células y renovar la epidermis. Además, tiene un alto contenido vitamínico, en concreto de vitaminas A, E, C, B1 y B2, además de antioxidantes como los flavonoides, la pectina, la riboflavina y los polifenoles, que ayudan a combatir el proceso de envejecimiento de las células cutáneas. Por todo ello, resulta de gran utilidad en el tratamiento de quemaduras, de la dermatitis del pañal, para reducir las manchas cutáneas y las cicatrices, y tratar las pieles irritadas. Pero también para combatir las arrugas, las pieles cansadas o maduras, y los efectos de la exposición al sol, al viento o al frío. El único tipo de piel que no acepta bien el aceite de rosa de mosqueta es el cutis graso o de tendencia acnéica por el alto contenido en lípidos de este portador. Como proporciona una gran elasticidad, ayuda a prevenir la aparición de estrías en la piel durante el embarazo o en personas que experimenten constantes fluctuaciones en el peso corporal, así que también es un buen aceite portador corporal.

SEMILLA DE ALBARICOQUE

Este aceite tiene una textura ligera y una extraordinaria capacidad de penetración. Se extrae de la semilla del albaricoque (*Prunus armeniaca*) y es rico en vitaminas, sobre todo A, y en minerales. Por sus propiedades, es muy hidratante, por lo que resulta ideal para tratar pieles sensibles o secas. En cosmética se utiliza para aliviar y tratar el cutis deshidratado, sensible o maduro. Desde el punto de vista terapéutico aporta beneficios a la piel inflamada o reseca.

SÉSAMO

Su textura viscosa impide que sea un buen aceite base, pero enriquece la mezcla de cualquier otro aceite vegetal con aceites esenciales porque tiene vitamina E, un potente antioxidante que ayuda a conservar la mezcla y que combate el envejecimiento de la piel y otras afecciones cutáneas. Además, como tiene propiedades antiinflamatorias, está muy recomendado en los casos de reumatismo.

Aplicaciones de la aromaterapia

Precauciones fundamentales en el uso de

Natural no quiere decir inocuo. Los productos que provienen de las plantas tienen efectos muy potentes y son muy concentrados. Por ello, debes ser prudente a la hora de utilizarlos y hay que seguir siempre el consejo de tu aromaterapeuta. Antes de describirte las principales formas de aplicación de los aceites esenciales, vamos a darte una serie de consejos para que evites correr riesgos innecesarios o hagas un mal uso de la aromaterapia. Con ello, conseguirás disfrutar de los beneficios con seguridad absoluta y conceder a los aceites esenciales un papel importante en el mantenimiento de tu bienestar físico y emocional.

Fototoxicidad

Hay determinados aceites esenciales, sobre todo las esencias de cítricos, que no conviene utilizar poco antes de tomar el sol o durante el baño solar. La razón es que son fototóxicos, y pueden llegar a salirte manchas como consecuencia de que la piel se haya tratado con determinados principios activos y haya sido expuesta a los rayos ultravioletas. Entre los más conocidos están la naranja dulce, la naranja amarga, la bergamota o el limón, pero hay más. En la lista que te proporcionamos en el siguiente capítulo te lo indicamos en cada caso, para que puedas tenerlo en cuenta al utilizarlos.

Irritabilidad

Cada piel es diferente y conviene tomar especiales precauciones con los aceites esenciales más potentes. Sin embargo, si al hacer la prueba en una pequeña zona en tu epidermis no presenta reacción puedes utilizarlos sin problemas, aunque con mesura. Suelen provocar irritabilidad los aceites esenciales especiados, pero basta con reducir la dosis para poder aprovechar sus importantes beneficios.

Somnolencia

Algunos aceites esenciales contienen potentes principios activos con propiedades relajantes, narcóticas, hipnóticas o sedantes. Son ideales para darte un baño o un masaje antes de dormir, o para ponerlos en un quemador de esencias en tu dormitorio. Sin embargo, conviene evitarlos si después tienes que trabajar con máquinas o conducir, ya que pueden producirte somnolencia y hacerte correr riesgos innecesarios. También mencionamos esta particularidad en cada uno de los aceites esenciales que te recomendamos en el próximo capítulo.

Niños y bebés

Como sabes, la piel es una de las vías a través de la cual penetran los principios activos de los acei-

aceites esenciales

tes esenciales en nuestro organismo. En el caso de los bebés y los niños pequeños se deben utilizar sólo determinados aceites esenciales y, siempre, muy diluidos. Como máximo, debes poner sólo la mitad de la dosis que suele emplearse en una piel adulta. La epidermis de los más pequeños es extremadamente sensible y sólo debes recurrir a los aceites más suaves.

Una buena opción, y muy segura, son los quemadores de esencias y poner unas gotitas en su almohada. El baño también resulta una aplicación segura, pero pon pocas gotas y asegúrate de que no le salpica agua en los ojos.

Embarazo

Una de las principales cuestiones que debes tener muy presente es que la mayoría de aceites esenciales tiene efectos terapéuticos sobre el sistema hormonal femenino y el sistema reproductor, es decir, los ovarios y el útero. Así, la característica que los convierte en grandes aliados de los trastornos menstruales, la menopausia o el síndrome premenstrual, también los coloca en la lista de «no admitir» si estás embarazada.

Cualquier intento de tu organismo por regular la menstruación o el sistema hormonal podría desembocar en un aborto no deseado, por lo que te recomendamos que tengas la máxima pruden-

cia a la hora de decidirte por la aromaterapia si estás embarazada.

En la lista de los aceites esenciales más habituales indicamos su tolerancia en las mujeres gestantes, para que puedas escoger con garantías y tranquilidad.

Asma

Aunque pudiera parecer que los aceites esenciales balsámicos resultan un remedio ideal para el asma conviene tomar precauciones para no provocar broncoespasmos. Esto podría ocurrir si se hacen inhalaciones con vapor de agua, tal y como te describimos en el apartado donde se habla del asma y su tratamiento, en el siguiente capítulo.

Epilepsia y lesiones cerebrales

Existen determinados principios activos en algunos aceites esenciales que los hacen desaconsejables en el tratamiento de personas que tengan epilepsia o que tengan antecedentes epilépticos en su familia. Tampoco se recomiendan en el caso de lesiones cerebrales.

Otras recomendaciones

Excepto en casos muy determinados, como puede ser la lavanda o el árbol del té, no conviene que apliques los aceites esenciales directamente sobre la piel. Siempre conviene aplicarlos diluidos en agua o en un aceite portador para evitar reacciones cutáneas como consecuencia de su alta concentración y sus potentes principios activos.

● **Evita el uso prolongado del mismo aceite esencial**, por ejemplo a diario durante dos meses, porque podrías provocar en tu piel una sensibilización a ese aceite esencial en concreto. Es mejor que descanses de ese aceite y que lo alternes o sustituyas por otro que te reporte beneficios terapéuticos idénticos o similares. Pasado un tiempo prudencial puedes volverlo a utilizar sin riesgo.

● **Las personas con antecedentes alérgicos** deben utilizar con mucha precaución la aromaterapia, y conviene realizar una prueba previa en una pequeña zona para eliminar la posibilidad de cualquier reacción.

● **Cuando pongas aceites esenciales en el baño**, remueve bien el agua para que se entremezclen y no toquen tu piel de forma directa.

● **Evita siempre que los aceites esenciales, puros o diluidos**, entren en contacto con tus ojos ya que podrían irritarlos considerablemente. Si esto ocurre, intenta no ponerte nervioso y actúa de la siguiente manera: acláratelos inme-

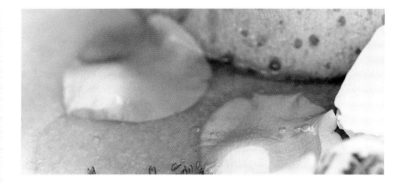

diatamente con mucha agua y ponte después unas gotas de aceite de almendras dulces para diluir cualquier pequeña traza de aceite esencial que pudiera haberse quedado en el interior y, además, calmar la irritación.

● **No debes ingerir, en ningún caso, ningún aceite esencial**, excepto si así te lo prescribe expresamente un aromaterapeuta profesional que merezca toda tu confianza. Insistimos, no tomes nunca aceites esenciales por vía interna por iniciativa propia excepto en los casos concretos en que te los recete un especialista.

● **Si está siguiendo un tratamiento homeopático**, no debes utilizar el aceite esencial de menta ni el de eucalipto ya que el mentol que contienen neutralizaría los efectos de los remedios que te haya prescrito el homeópata.

● **No apliques los aceites esenciales sobre una bombilla**. Es mucho mejor que los pongas en los aros que venden los comercios especializados y que sí se colocan en la bombilla.

Si pones aceites esenciales en un quemador, asegúrate de dejarlo en una superficie incombustible y **no lo dejes sin vigilancia.**

Cómo utilizar los aceites esenciales

La aromaterapia va a ayudarte a sentirte mejor física y emocionalmente. No tengas ninguna duda. Sus principios activos naturales pueden proporcionarte una solución para muchas de las afecciones que puede llegar a padecer tu cuerpo y tu mente. Además, tiene el gran valor añadido de que sus diferentes formas de aplicación son agradables y placenteras, con lo que el tratamiento se convierte así en un elemento grato y que te obliga a dedicarte tiempo y atención, algo complicado en los tiempos que corren con el agitado ritmo de vida que solemos llevar todos.

En la consulta del aromaterapeuta o de la esteticista podrás recibir los diferentes tratamientos, casi siempre en forma de masaje. Pero en tu propia casa puedes continuar disfrutando de los beneficios de esta magnífica terapia a través de sus diferentes aplicaciones, con lo que puedes seguir dedicándote a tu bienestar, pero de forma más cómoda.

Los quemadores de esencias, las velas perfumadas, los baños aromáticos, las inhalaciones, los masajes reparadores, las compresas calientes o frías... Como ves, es un amplio abanico que vamos a describirte para que puedas escoger el más adecuado en cada ocasión y potencies el tratamiento en tu hogar y a tu familia.

Por otro lado, no hace falta sentirse mal para recurrir a la aromaterapia. Entre sus beneficios terapéuticos se cuentan también los que afectan a nuestra piel y cutis, así que puedes realizar un tratamiento cosmético para mejorar la salud de tu epidermis, el órgano más grande de todo nuestro cuerpo. Por lo tanto, también te puedes decidir por la aromaterapia para combatir la celulitis, retrasar el envejecimiento de tu piel o nutrirla bien después de un día de sol.

Masajes terapéuticos y cosméticos; quemadores de esencias con aceites esenciales relajantes, afrodisíacos o que generen un ambiente limpio y lleno de «buenas vibraciones»; perfume para sentirte mejor, para proteger tu casa y tus armarios, para hacer de tu hogar un lugar acogedor, tranquilo y fragante.

A continuación vamos a explicarte las aplicaciones más habituales de aceites esenciales para que puedas escoger cómo iniciarte en la aromaterapia o, simplemente, entender el tratamiento que te está aplicando tu aromaterapeuta o tu esteticista.

En tu propia casa puedes continuar disfrutando de los beneficios de esta magnífica terapia a través de sus diferentes aplicaciones.

Vaporización

Los principios activos de los aceites esenciales son muy volátiles y llegan a tu cerebro en cuestión de segundos a través de tu nariz. Una de las aplicaciones más habituales para ello es poner unas gotitas de uno o varios aceites esenciales en un quemador de esencias. Es un método suave que además suele utilizarse en combinación con otros y que resulta muy agradable.

En estos pequeños objetos, una fuente de calor evapora los aceites y perfuma de este modo la estancia en la que lo coloques. Son una forma muy agradable de practicar y beneficiarse de la aromaterapia porque prácticamente la totalidad de aceites esenciales tienen aromas perfumados que recuerdan al origen de los mismos, sea herbal, balsámico, floral o de maderas.

En cada ocasión puede convenirte uno determinado, pero no hace falta sentirse mal para recurrir a ellos. Escoge los que más te gusten, o los que más te relajen, y disfruta de ellos.

Existen varios tipos de objetos sobre los que puedes verter aceites esenciales para que se evaporen. El más habitual es el quemador de esencias. Puede ser de cerámica, de cristal, de metal... los hay de muchos tipos, pero todos comparten el mismo principio. Tienen una base en la que debes poner una vela pequeña y un recipiente supe-

rior, parecido a un platillo, donde pones un poco de agua y una o dos gotas del aceite esencial. La vela más segura, y limpia, es aquella que va en un portavelas metálico, ya que no se vierte la cera y se apaga sola cuando se ha consumido. A continuación enciendes la vela y el calor que genera la llama incide directamente en la base del recipiente superior, que empieza a evaporar lentamente el agua y el aceite esencial. Es mejor escoger un quemador que tenga un platillo algo profundo para poder añadir la cantidad adecuada de agua. Si es así, la difusión de esencias puede llegar a durar unas dos horas y el agua ayuda a que se evapore lentamente y no se desnaturalicen los aceites esenciales por exceso de calor. Como una buena vela puede llegar a durar unas ocho horas, conviene que revises de vez en cuando si todavía tiene agua el platillo para evitar que el calor directo lo resquebraje y reponer el agua con aceites o, simplemente, apagar la vela.

Existen algunos quemadores de esencias que tienen un componente eléctrico en vez de una vela. Tienen la gran ventaja de que puedes dejarlo encendido en una habitación sin necesidad de vigilarlo, ya que no existe el peligro de la llama de la vela.

Si no dispones de este artilugio denominado «quemador de esencias», puedes improvisar uno en tu propia casa. Basta con que pongas en un plato agua muy caliente y le añadas una o dos gotas de aceite esencial. El método no es tan duradero como el anterior, pero puede sacarte de un apuro si lo precisas en un momento en el que no dispones de quemador.

Si el sistema de calefacción de tu casa es por agua y tienes radiadores, puedes darle un nuevo uso, ya que son una excelente fuente de calor en invierno que puedes aprovechar para aromatizar toda tu casa. Para ello venden en los comercios especializados unos pequeños recipientes denominados «difusor de radiador» y que se colocan sobre éstos para aprovechar su fuente de calor. Añades un poco de agua y unas gotas de aceite esencial y listo.

También puedes decidirte por los aromatizadores. Son unos pequeños recipientes eléctricos en los que tan sólo debes añadir el aceite esencial ya que no es necesario poner agua. Lo único que necesitas es un enchufe.

Y, por último, existen también los aros vaporizadores. Es un aro metálico que se coloca sobre una bombilla. Ponlo en una superficie plana y vierte sobre su surco unas gotas de aceite esencial. Cuando el aro haya absorbido el aceite ya puedes colocarlo en la bombilla, que hará de fuente de calor para evaporar los principios activos del aceite esencial.

Si es una lámpara de pie no es necesario desenroscar la bombilla y basta con encajarlo encima. Sin embargo, si la bombilla cuelga de una lámpara de techo, debes quitar la bombilla, ensartar el aro por la parte estrecha de la misma y volver a enroscarla en el portalámparas.

Este método no tiene tantas propiedades terapéuticas como el resto porque los aceites esenciales se evaporan enseguida y el exceso de calor desvirtúa un poco sus principios activos, pero es una magnífica forma de perfumar un ambiente y crear sensaciones de bienestar y tranquilidad.

Inhalación

En la inhalación, la fuente que emite los principios activos volátiles de los aceites esenciales está mucho más próxima a la nariz que en la vaporización, por lo que su carga terapéutica es mucho mayor y efectiva. Este método de aplicación lleva los beneficios de la aromaterapia directamente al tracto respiratorio y de ahí al torrente sanguíneo.

Se suelen inhalar aceites esenciales para muchas dolencias, no sólo las que afectan a las vías respiratorias, sino también para dolores de cabeza, nerviosismo, insomnio o depresión. Puede hacerse en frío o con vapor de agua. En el primer caso basta con poner unas gotitas del aceite esencial recomendado en la almohada o en un pañuelo. A continuación realizas tres inspiraciones suaves pero profundas. En el caso de la almohada, respiras los aceites toda la noche y te ayudan a tener un sueño reparador y a curarte mientras duermes.

Si te prescriben inhalaciones con vapor de agua, el sistema no es otro que el de los tradicionales vahos. Llenas un cuenco con agua bien caliente, le añades las cantidades indicadas de los aceites esenciales recomendados, te tapas la cabeza con una toalla e inspiras profundamente los vapores que desprende el agua del cuenco durante varios minutos.

Descansas un poco y vuelves a realizar otra tanda de inhalaciones. Si te sobreviene un peque-

ño mareo o cualquier otra molestia deja de hacerlas. Aunque desaparecen en unos minutos puede que te lo haya producido el exceso de calor o que alguno de los aceites que has utilizado no te va bien.

Baños

En el baño caliente o frío los aceites esenciales se mezclan con el agua y penetran por los poros de toda tu piel. Además, el vapor de agua que se genera en el caso de los baños calientes te permite inhalar los principios activos de los aceites, con lo que también penetran en tu tracto respiratorio y en tu cerebro a través de tu nariz.

La ciencia ha demostrado que los poros de la piel absorben los principios activos de los aceites esenciales, pero sólo ha venido a ratificar lo que ya recomendaba Hipócrates en el siglo IV a.C., es decir, darse un baño aromático a diario es bueno para el cuerpo y el alma.

No conviene exceder la dosis que se recomienda en cada caso y debes evitar que te entre agua en los ojos, ya que podrían irritarse un poco. Con una seis gotas basta para que puedas darte un baño perfumado, pero la dosis puede ser superior si lo que busca tu aromaterapeuta es un efecto curativo sobre tu cuerpo o tus emociones.

Puede ser un baño completo, pero también puede ser de pies, o de asiento en el bidet o en un simple balde, en función de tus necesidades o el consejo del especialista (puede ser para tratar el pie de atleta o para aliviar una cistitis).

Cuando ya tengas el agua caliente o fría en la bañera, añade los aceites esenciales y remueve enérgicamente el agua para que se mezclen bien justo en el momento en el que vayas a meterte,

ya que se evaporan con rapidez por la temperatura del agua y conviene que aproveches al máximo sus principios activos. Como los aceites esenciales se disuelven sólo en una base grasa, verás diminutas gotitas que se reparten por todo el volumen de agua. Un truco consiste en mezclarlos previamente en una taza de leche, donde se disuelven muy bien, y añadir después la leche a la bañera. Es una manera como otra de aprovechar los beneficios de la aromaterapia y, de paso, evocas a la famosísima Cleopatra. Si, de todos modos, no te apetece añadir leche al agua de baño puedes disolverlos en una cucharada sopera de aceite vegetal, de pepita de uva por ejemplo, y luego añadirlo a la bañera. Tu piel te lo agradecerá, aunque quizá tus poros no absorban los aceites esenciales igual de bien.

Si te das el baño para relajarte, puedes añadir, además, sales de baño, como las del Mar Muerto, de grandes propiedades. Pero si el objetivo es calmar una artritis, o tratar una depresión, lo mejor es que te des primero una buena ducha y luego llenes la bañera sólo con agua caliente y aceites esenciales, ya que el jabón, el aceite vegetal o las sales de baño impiden que los poros absorban adecuadamente los principios activos.

Es importante recordarte que si tomas un baño relajante no practiques después ninguna actividad que requiera tu atención, como conducir o trabajar con máquinas, hasta pasado un tiempo.

terapia que sigues en la esteticista o en el aromaterapeuta. Si dispones de ducha y bañera puedes aprovechar el doble beneficio y darte una ducha por la mañana y un baño antes de ir a dormir, o combinarlo en días alternos.

La ducha es un excelente método de aplicación para los tratamientos tonificantes y estimulantes. Puedes añadir los aceites esenciales sobre la manopla o esponja mojada de agua bien caliente y frotarte con fuerza, aunque evitando las zonas sensibles. También puedes poner la manopla en la base de la ducha, donde cae el chorro de agua, y añadir unas gotas de aceites esenciales.

Cuando abras el grifo inhala profundamente los vapores que se desprenderán por efecto del agua caliente de la manopla. En este tipo de aplicación debes añadir unas ocho gotas, mientras que en el primero bastarán con dos o tres.

Lo ideal es tomarlo justo antes de irte a la cama, como un regalo de salud y mimos al final de un día agotador y estresante.

A continuación te proporcionamos una idea aproximada del tiempo de reposo que conviene que hagas después de un baño. Éste varía en función del tipo de baño que prepares.

Si no dispones de bañera, puedes optar por darte una ducha de aromaterapia. Aunque los resultados no son tan eficaces, siempre ayudan a la

Tiempos de reposo

Estimulante	20 minutos (baño con agua fría)
General	30 minutos
Depresión	45 minutos
Artritis, dolor muscular	1 hora
Relajante	1 o 2 horas
Fatiga mental o física	1 o 2 horas
Afrodisíaco	todo el que queráis

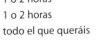

Masajes

El masaje es una de las aplicaciones, junto con el baño, más empleadas y útiles en aromaterapia. No sólo es una forma de conseguir que los aceites esenciales, siempre disueltos en un aceite vegetal de base, penetren en los piel, sino que potencia su efecto terapéutico por la misma mecánica del masaje, que ayuda a relajar el músculo, activar la circulación de la sangre y de la linfa y, además, ejerce un poder tranquilizador sobre la mente. Efectivamente, el masaje, sea parcial o total, suele ir asociado al placer de la relajación y el bienestar físico y emocional. Un mal día que acaba en un buen masaje ya no es tan mal día, porque libera tensiones, genera emociones positivas y hace olvidar los malos momentos provocados por el estrés o los problemas.

Por otro lado, si lo realizas con una mezcla de aceite vegetal y aceites esenciales, consigues que los principios activos de éstos entren en el organismo por dos vías diferentes: el torrente sanguíneo y el cerebro. Como penetran en la piel, los capilares los llevan a las venas principales y de ahí se distribuyen al organismo. Además, al olerlo la persona que recibe el masaje, llegan también al sistema límbico, que se encarga, a su vez, de enviarlo a dónde más lo necesite en ese momento el organismo. Si das masajes por un problema físico concreto en una zona, los beneficios de los aceites esenciales llegan de forma casi inmediata al lugar afectado y empiezan a «trabajar» para aliviar la dolencia.

Si el motivo del masaje es aliviar una emoción negativa, como la depresión, la tristeza o la ira, los efectos son también muy positivos. No sólo por la acción de la aromaterapia, sino por el modo en que se aplica ya que te sientes valorado por la persona que te lo da y en total relajación por la dinámica reconfortante de la sesión.

Este último punto es importante. Para dar un masaje completo que sea realmente efectivo conviene preparar primero el lugar en el que se va a dar la sesión. Es diferente un masaje en un brazo o en un pie que un masaje total. El primero conviene si existe un dolor o una lesión muy localizada, pero el segundo busca una mejora mucho más profunda, más a nivel interno, un curarse desde dentro hacia fuera. En estos casos, el masaje es el vehículo para que los aceites esenciales localicen el problema en tu organismo y en tu mente, y empiecen a actuar.

Un mal día que acaba en un buen masaje ya no es tan mal día, porque libera tensiones, genera emociones positivas y hace olvidar los malos momentos.

Cómo preparar tus propias diluciones

A lo largo de los capítulos en los que te describimos las enfermedades físicas y emociones negativas **te proponemos algunos remedios de aromaterapia que puedes aplicarte en casa en forma de masaje. Conviene que respetes las cantidades que indicamos** y, en caso de querer cambiar el aceite esencial o alguna dosis, lo consultes con un aromaterapeuta. **Para preparar tus propios remedios en casa**, puede ser más sencillo emplear utensilios de cocina que probetas y balanzas. Te **facilitamos unas medidas aproximadas** para que puedas confeccionar cualquiera de ellos:

- 60 ml = 4 cucharadas soperas
- 30 ml = 2 cucharadas soperas
- 15 ml = 1 cucharada sopera
- 10 ml = 1 cucharada de postre
- 5 ml = 1 cucharadita de café
- gotero pequeño: 24 gotas = 1 ml
- gotero grande: 12 gotas = 1 ml

En las tiendas puedes encontrar goteros de algunas de las medidas que te proponemos, e incluso de 125 ml, aunque **te recomendamos** que no prepares grandes cantidades de remedios porque son productos naturales y pueden volverse rancios con mucha facilidad. Recuerda que cuando prepares, o compres, remedios de aromaterapia deben estar envasados en frascos oscuros. Los mejores son los de color marrón, con gotero, para facilitar su dosificación. **Es importante que sean recipientes herméticos y con tapa de rosca para evitar la evaporación de los aceites esenciales.** Además, conviene que los mantengas protegidos de la luz y el calor para poder prolongar su duración en perfectas condiciones. **El aceite portador suele tener una duración de unos seis meses**, aunque este período se alarga considerablemente si le añades unas gotas de aceite de germen de trigo, cuya vitamina E actúa de conservante natural de la dilución. **Sin embargo, los aceites esenciales tienen una duración más larga** que puede llegar a los seis años, aunque por lo general no suele pasar de dos, y en el caso de los cítricos es, todavía, más corta.

Advertencias sobre los masajes

Aunque parece que puede resultar sencillo e inocuo, el masaje es una herramienta terapéutica potente que debe saber aplicarse y que no resulta beneficiosa para todo el mundo. Existen ciertas dolencias para las que se desaconseja:

- **En caso de trombosis,** hematomas o una dolencia inflamatoria no hay que dar masajes sobre la zona.

- **No conviene dar masajes a una persona que tenga epilepsia,** tensión alta, diabetes, fiebre, problemas de corazón o una enfermedad contagiosa.

- **Si a los pocos minutos de iniciar un masaje en la espalda** empieza a manifestarse un dolor que se extiende a los brazos o las piernas, suspéndelo de inmediato y consulta con tu médico. En caso de que el dolor ya sea previo a la intención del masaje es mejor no darlo, por si se trata de una dolencia que pueda agravarse con la manipulación de los músculos como consecuencia del masaje.

- **En caso de que la piel sobre la que quieres dar el masaje presente hematomas,** inflamación o una infección cutánea es mejor que apliques compresas.

- **No conviene dar masaje sobre las varices,** ya que son muy delicadas. Si lo das sobre toda la pierna, hazlo con la palma de la mano y no presiones las varices con los dedos.

- **No conviene dar masajes con aceites esenciales a una mujer embarazada** hasta que no haya superado el cuarto mes de gestación. Sin embargo, a partir de entonces resultan muy beneficiosos. Como le resultará incómodo tumbarse boca abajo, puede sentarse al revés en una silla, apoyar el vientre en un cojín y los brazos en el respaldo. Así estará cómoda y podrán masajearle la espalda sin problemas.

- **No conviene dar o recibir un masaje después de comer.** Deja que pasen un par de horas ya que toda la energía de tu cuerpo está concentrada en el proceso digestivo y podrías entorpecerlo. Tampoco lo des si te sientes con poca energía o te encuentras mal.

Para que esta «magia» se lleve a cabo conviene preparar la habitación donde vas a dar o a recibir el masaje. Tiene que ser un lugar tranquilo, con silencio o música suave y con una temperatura agradable para que el frío no contraiga los músculos ni obstaculice el bienestar que produce un masaje. Además, no sólo debe ser confortable la habitación, sino que el lugar en el que se tienda la persona debe ser cómodo tanto para ella como para

realizar unas respiraciones profundas para relajarse y, sobre todo, estar dispuesto a dar o a recibir el masaje. La buena disposición de ambas personas es fundamental porque no sólo se realiza un masaje, sino que se produce un intercambio de energías entre quien lo da y quien lo recibe, y conviene que sean lo más positivas posible.

Si tu pareja te pide que le des un masaje y no tienes ganas por cansancio o porque preferirías recibirlo en vez de darlo, entonces es mejor hablar con sinceridad y no darlo, porque no resultará tan efectivo.

El masaje es un acto terapéutico, pero también de placer y de entrega, y quien lo da tiene que disfrutar de forma parecida a quien lo recibe.

Si todas las circunstancias son favorables, viérte un poco de la mezcla de aceites en tus manos y frótatelas para calentar el aceite y poder distribuirlo de manera uniforme.

De más está decir que cada piel es diferente y necesita una cantidad de aceite distinta en función de su nivel de hidratación. Conviene pues adaptarse a la persona y añadir más aceite o prolongar más el masaje hasta la buena absorción del mismo. Además, hay que darlo con toda la palma de la mano y tener las uñas cortas para no causar ningún arañazo. Por último, puedes cubrir con toallas las zonas donde no estés realizando el masaje para que quien lo recibe no tenga frío y pueda estar completamente relajado.

quien le dé el masaje. Si lo realizas en casa y no tienes camilla, puedes poner unas mantas en el suelo y darlo de rodillas, aunque es una postura que puede resultarte incómoda al cabo de un rato. La solución sencilla y práctica es poner las mantas encima de una mesa —la del comedor, por ejemplo— ya que tiene una altura apropiada para quien da el masaje y puede trabajarse por ambos lados. Una vez preparada la habitación, conviene

Técnicas de masaje

El masaje es una secuencia de movimientos enlazados que se van administrando por las diferentes partes del cuerpo. Aunque pudiera parecer complicado en un principio, lo cierto es que debes hacerlo suave y casi como un acto lúdico, sin miedo. El solo contacto de tus manos masajeando con el aceite aromático ya forma parte del gesto terapéutico, así que no tengas complejos e improvisa si la situación lo requiere.

Los movimientos básicos del masaje se reducen a tres: *effleurage*, amasamiento y fricción con los pulgares.

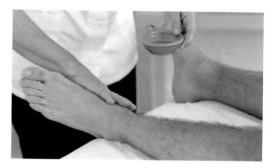

EFFLEURAGE

La técnica del *effleurage* es característica de la aromaterapia, que aboga por masajes suaves y relajantes. Se trata de la fase inicial y final de todos los masajes y consiste en un movimiento rítmico lento y suave que se aplica con toda la palma de la mano y en sentido ascendente, bien sea en trayectoria recta o hacia ambos lados, y descendente. **En el primer caso puedes aplicar más presión, y conseguirás mayor incidencia en el sistema circulatorio y linfático y en los músculos;** en sentido descendente puedes aplicar poca presión, y será muy relajante y agradable. Se aplica tanto en la espalda como en piernas, brazos y torso. Primero lo haces con los dedos unidos y en sentido vertical, y luego abres los dedos y deslizas las manos hacia los lados siguiendo la trayectoria hacia arriba.

AMASAMIENTO

El movimiento del **amasamiento** es una técnica que se reserva, sobre todo, para la parte superior de los hombros, la zona lumbar y las piernas y brazos. **Debes «amasar» los músculos con los dedos o con toda la palma de la mano, como si se tratara de la masa de un pastel,** y consiste básicamente en un movimiento de torsión y pellizco. Es muy útil porque relaja mucho la zona, además de favorecer un mayor riego sanguíneo y ayuda a eliminar toxinas. Se puede complementar con el movimiento de **estrujamiento**, en el que debes coger la pantorrilla o el brazo con ambas manos y emular el movimiento de estrujar un trapo, eso sí, con suavidad y la mano entera. En las zonas donde haya menos masa muscular debes hacerlo sólo con las yemas de los dedos.

Ambas técnicas se utiliza más en otros tipos de masajes que en aromaterapia, donde **la finalidad del masaje es relajar la zona y conseguir que penetre bien el aceite portador de los aceites esenciales,** pero complementan bien la sesión.

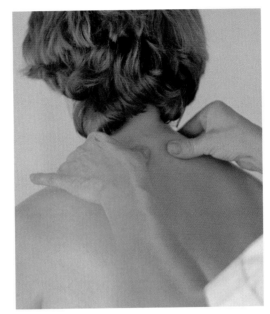

FRICCIÓN CON LOS PULGARES

Finalmente, la tercera técnica **más que un movimiento es sólo una presión hacia abajo que se ejerce con los pulgares**. En este caso, conviene que te ayudes con el peso de tu cuerpo para aplicarla, pero siempre con suavidad para no provocar ninguna molestia en la persona que recibe el masaje. Puedes hacerla puntual o describiendo círculos, y suele aplicarse a lo largo de ambos lados de la columna vertebral (no sobre la columna vertebral), en la zona de los hombros y en la parte posterior de los muslos. **Para realizar una buena sesión sólo debes empezar y acabar con** *effleurage* y

aplicar las otras dos técnicas a voluntad. Aunque vamos a darte ciertas directrices del orden en el que se aplica una secuencia de masaje, lo importante es que te dejes llevar por tu intuición y por conseguir el bienestar de la persona que recibe el masaje. **Si en su práctica encuentras bajo la piel alguna zona donde se acumula la tensión en forma de «nudo» o agarrotamiento, no debes presionar con fuerza ya que podrías provocar dolor.** Lo mejor es que masajees el área circundante y presiones repetidamente, pero con suavidad, la zona contracturada para intentar que se relaje.

Secuencia del masaje integral

Si quieres dar un masaje integral es fundamental que el lugar en el que realices la sesión sea el adecuado. Lo ideal es que la habitación se mantenga a una temperatura agradable, y puedes contribuir a que se sienta mejor quien recibe el masaje si le tapas la zona que no estés trabajando. Por ejemplo, cubre su torso con una toalla cuando estés masajeando las piernas. Recuerda que es muy importante que apliques el masaje con movimientos suaves, especialmente si aún no eres un experto en las técnicas que vas a practicar.

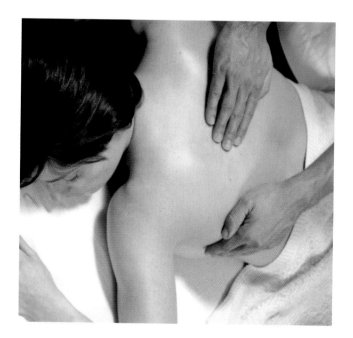
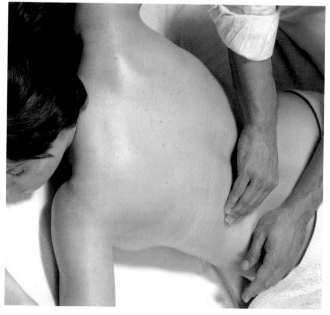

1 Empieza el masaje por la espalda aplicando las tres técnicas que te hemos comentado anteriormente. La espalda es ideal para empezar porque es una zona amplia y que invita a relajarse. Además, es una excelente manera de tomar contacto con la persona a quien masajeas.

2 **A continuación, le tapas la espalda y descubres una de las piernas.** La masajeas y, después de
taparla, continúas con la otra. Una buena técnica en esta zona es la de amasamiento.
Una vez trabajadas las piernas por la parte posterior del cuerpo, continúas por la parte delantera.

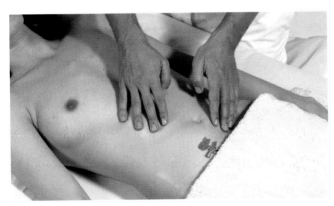
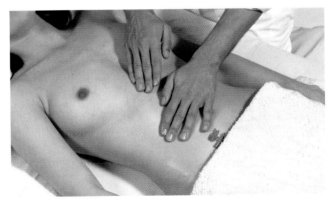

3 **Seguidamente, tapa la parte inferior de su cuerpo y masajea su estómago aplicando la técnica
de fricción con los pulgares.** Conviene que masajees esta zona en círculos, en el sentido de las
agujas del reloj, para ayudar al proceso digestivo.

4 **El masaje en los brazos puedes hacerlo con un poco más de firmeza, y siempre es preciso que lo hagas desde el hombro hacia las manos.** En esta zona es adecuado practicar la técnica del amasamiento, consistente en movimientos de torsión y pellizco. Cuando trabajes los hombros, recuerda que es mejor aplicar la técnica de fricción de los pulgares.

5 **Cuando llegues a la zona de la cara y el cuero cabelludo debes practicar el masaje únicamente con las yemas de los dedos. Asimismo, es necesario que sea un masaje muy delicado.** Puedes realizar todas las técnicas que explicamos en el apartado anterior, incluida la fricción con los pulgares describiendo círculos, pero evita la zona de los ojos, ya que los aceites son irritantes.

Aplicaciones en cosmética

El masaje es la principal técnica de aplicación, junto con el baño y las saunas faciales, de la aromaterapia en cosmética. Sin embargo, cuando apliques un remedio para obtener un fin cosmético, como mejorar el aspecto de la piel o combatir una celulitis, también estarás ayudando a tu organismo y tus emociones a un nivel más profundo. Con el masaje consigues incrementar el riego sanguíneo, relajar la musculatura y disipar sensaciones negativas como la tristeza o la ansiedad. De este modo, además de buscar como fin la belleza, también obtendrás el bienestar integral de la persona. Aunque el objetivo de este libro no son los beneficios cosméticos de la aromaterapia, vamos a aprovechar su mención para proponerte algunos remedios eficaces que te ayudarán a sentirte más guapa o guapo por dentro y por fuera.

Consejos

● **Pon un quemador de esencias** con algún aceite esencial relajante para ayudar a crear un ambiente confortable en la habitación.

● **Conviene mantener el mismo ritmo** durante todo el masaje para no romper el estado de relajación de la persona que lo recibe.

● **El masaje es, ante todo, un momento de relajación** y casi de comunión entre dos personas. Lo máximo que puede oírse es música suave, pero no habléis ni os distraigáis durante el mismo.
Es mejor concentrar la mente en los movimientos que se dan y se reciben.

● **Es bueno mantener durante todo el masaje una mano en contacto con la persona** que lo recibe para no interrumpir el intercambio de energías. Un buen masaje

debe ser un movimiento relajado pero continuado.

● **Un masaje integral suele llevar una hora y media**, pero puedes concentrarte en las zonas que más necesite la persona a quien se lo das si no dispones de tanto tiempo, como la espalda, por ejemplo.

● **Empieza con movimientos suaves**, aumenta después la presión de tus manos y, para finalizar, vuelve a realizar movimientos suaves.

● **Utiliza el peso de tu propio cuerpo** para ayudarte en los movimientos que requieran mayor presión.

Celulitis y retención de líquidos

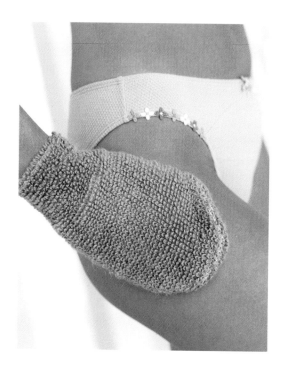

cada día después de la ducha durante un mes. A continuación descansa cuatro días y date durante otro mes la siguiente mezcla: 50 ml de aceite de pepita de uva, 6 gotas de lavanda, 6 de pachulí, 6 de romero y 6 de ciprés. Mientras hagas este tratamiento, date dos veces por semana un baño no muy caliente con 6 gotas de enebro y utiliza a fondo la manopla áspera sobre la piel de naranja antes de aplicar el aceite de masaje.

Con ello activas la circulación, ayudas a eliminar la retención de líquidos y contribuyes a abrir bien el poro para que absorba de forma óptima los aceites esenciales.

Remedios de aromaterapia

Cualquiera de los aceites recomendados resultan ideales para añadir 8 o 10 gotas al agua de baño y conseguir efectos beneficiosos sobre la celulitis y la retención de líquidos.

● La mejor técnica de masaje para la celulitis es el amasamiento. Mezcla 50 ml de aceite de pepita de uva y añade 6 gotas de geranio, 6 de enebro, 6 de limón y 4 de hinojo. Masajéate las zonas

Aceites esenciales recomendados

- ● Angélica
- ● Cedro
- ● Ciprés
- ● Enebro
- ● Geranio
- ● Hinojo
- ● Lavanda
- ● Lima
- ● Limón
- ● Mandarina
- ● Pachulí

- ● Pino
- ● Pomelo
- ● Romero
- ● Sándalo

Cabello

Cabello seco
Remedios de aromaterapia

● Un buen remedio es mezclar 50 ml de aceite de almendras dulces con 5 gotas de champú suave.

Aceites esenciales recomendados

● Lavanda
● Manzanilla (cabello rubio)
● Romero (cabello castaño o moreno)

Cabello graso
Remedios de aromaterapia

● Añade hasta 6 gotas de cualquiera de los aceites que te proponemos, o una mezcla de no más de tres, en 125 ml de champú suave.

Aceites esenciales recomendados

● Árbol del té
● Ciprés
● Geranio
● Lavanda
● Limón
● Romero
● Salvia esclarea

Caspa
Remedios de aromaterapia

● **Para cabello seco,** mezcla 30 ml de aceite de almendras dulces con 5 gotas de geranio, 5 de lavanda y 5 de sándalo. Aplícatelo sobre el cuero cabelludo con un suave masaje y deja que actúe durante dos horas o, mejor aún, durante toda la noche. Después, enjabónate bien y aclárate con abundante agua a la que hayas añadido la misma proporción de aceites esenciales. Repite el tratamiento cada dos días hasta que mejore tu cuero cabelludo y puedas aplicártelo sólo dos veces a la semana hasta que desparezca el problema.

● **Para cabello graso,** mezcla 30 ml de aceite de pepita de uva con 6 gotas de cedro, 4 de romero y 4 de limón. Realiza el tratamiento de forma idéntica a la que te hemos expuesto antes en el cabello seco.

Aceites esenciales recomendados

● Árbol del té
● Cedro
● Enebro
● Geranio
● Lavanda
● Limón
● Pachulí
● Romero
● Sándalo

Diferentes tipos de cutis

Cutis graso
Remedios de aromaterapia

Puedes hacer una loción de limpieza con 100 ml de agua de lavanda, 15 ml de glicerina, 7 gotas de aceite esencial de lavanda, 7 de geranio, 3 de bergamota y 3 más de sándalo.

● Puedes mezclar 20 ml de vinagre de sidra con 80 ml de agua de rosas y añadir 5 gotas de lavanda. Es un tónico que limpia y da vida al cutis.

● Para hidratar la piel, mezcla 25 ml de aceite de semilla de albaricoque o de crema neutra con 15 ml de aceite de germen de trigo y 3 gotas de aceite esencial de lavanda, 3 de geranio y 3 de pachulí o palmarrosa.

● Finalmente, puedes elaborar una mascarilla para aplicártela un par de veces a la semana con

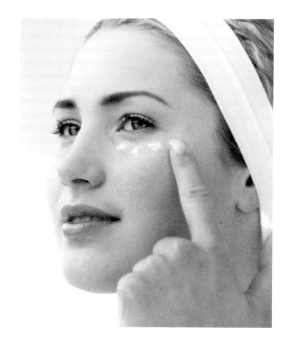

25 ml de pasta de arcilla a la que le hayas añadido 2 gotas de aceite esencial de árbol del té, 2 de bergamota y 2 de lavanda.

Cutis seco o mixto
Remedios de aromaterapia

Puedes elaborar un tónico reparador con la siguiente mezcla: pon en un frasco oscuro 75 ml de agua de rosas, 7 gotas de aceite esencial de man-

Aceites esenciales recomendados

● Albahaca	● Lavanda	● Palmarrosa
● Árbol del té	● Lemongrass	● Petit-grain
● Bergamota	● Lima	● Pachulí
● Cedro	● Mandarina	● Pomelo
● Ciprés	● Manzanilla	● Romero
● Enebro	● Neroli	● Salvia esclarea
● Eucalipto	● Pachulí	● Sándalo
● Geranio	● Palisandro	● Vetiver

zanilla, 7 de lavanda y 7 de sándalo. Déjalo reposar durante un mes. Después, lo filtras con la ayuda de un filtro de cafetera, le añades 25 ml de glicerina y lo agitas. Aplícatelo dos veces al día.

● Para hidratar y nutrir la piel puedes mezclar 25 ml de aceite de semilla de albaricoque, 15 ml de aceite de aguacate, onagra o germen de trigo y 3 gotas de aceite esencial de rosa, 3 de lavanda y 3 más de geranio o palmarrosa.

● Puedes elaborar una mascarilla natural y reparadora para aplicártela dos o tres veces por semana. La mezcla consiste en 30 ml de arcilla, 10 ml de miel, 10 ml de harina de maicena, 1 yema de huevo, 5 ml de aceite de onagra y 2 gotas de aceite esencial de rosa, 2 de lavanda y 2 de sándalo. Tras dejarla puesta quince minutos, aclárate el cutis con agua fría.

Aceites esenciales recomendados

- **Árbol del té**
- **Cedro**
- **Geranio**
- **Jazmín**
- **Lavanda**
- **Manzanilla**
- **Milenrama**
- **Mirra**
- **Neroli**
- **Pachulí**
- **Palisandro**
- **Rosa**
- **Sándalo**
- **Ylang ylang**

Cutis sensible o con cuperosis
Remedios de aromaterapia

Para limpiar la piel, evita el uso de jabones agresivos. Es mejor que prepares 75 ml de agua de rosas con 5 gotas de aceite esencial de manzanilla, 5 de lavanda y 3 de rosa. Déjalo reposar un mes en un frasco oscuro y hermético. Después, lo filtras con la ayuda del filtro de una cafetera y le añades 25 ml de glicerina. Agita bien la mezcla y aplícatelo con un algodón mañana y noche, después de humedecer previamente la piel.

● Para hidratar bien la piel, prepara 25 ml de aceite de jojoba o semilla de albaricoque con 3 gotas de aceite esencial de rosa y 3 de manzanilla o lavanda. Si tienes cuperosis mezcla 15 ml de crema hipoalergénica con 3 gotas de aceite esencial de rosa y masájéate generosamente la zona afectada dos veces al día.

● Otra mezcla que ayuda a regenerar la piel sensible y con cuperosis consiste en 100 ml de agua de neroli a la que le hayas añadido 2 gotas de aceite esencial de rosa, 2 de neroli o petit-grain y 2 de lavanda.

● No te recomendamos mascarillas de arcilla. Es mejor que sean de miel, que es más suave e hidratante.

La cuperosis (o «venitas rojas») es un problema de irrigación de los capilares de la piel de la cara y se aprecia sobre todo en nariz, mejillas y frente.

Aceites recomendados

- **Jazmín**
- **Lavanda**
- **Manzanilla**
- **Milenrama**
- **Neroli**
- **Petit-grain**
- **Rosa**
- **Zanahoria**

je en el cutis, evitando los párpados para no irritar los ojos. Cinco minutos después, retira con un pañuelo de papel el exceso.

● El aceite de germen de trigo es excelente como contorno de ojos, pero debes aplicarlo en las ojeras y masajear siguiendo el hueso del pómulo y sin llegar a entrar ni en el lagrimal ni en los párpados, para evitar que entre en los ojos.

● Un tónico muy adecuado para este tipo de cutis es el agua de rosas enriquecida con aceites esenciales. Añade a 75 ml de hidrolato, 7 gotas de geranio, 7 de lavanda, 3 de neroli y 3 de incienso.

Cutis maduro o apagado
Remedios de aromaterapia

Una mezcla ideal para nutrir el cutis es: 25 ml de aceite de jojoba, almendras dulces, pepita de uva o una crema neutra de base y 15 ml de aceite de germen de trigo más 15 ml de aceite de onagra. Después añades 10-15 gotas en total de lavanda, rosa incienso y neroli. Agita el frasco y mezcla 5 gotas de la mezcla con un poco de agua termal en la palma de tu mano. Frótate las manos para emulsionar la mezcla y aplícatelo en suave masa-

Aceites esenciales recomendados

- Ciprés
- Geranio
- Hinojo
- Incienso
- Jazmín
- Lavanda
- Manzanilla
- Mirra
- Neroli
- Pachulí
- Palisandro
- Palmarrosa
- Romero
- Rosa
- Salvia esclarea
- Sándalo
- Ylang ylang
- Zanahoria

Otras aplicaciones

Compresas

Esta forma de aplicación de remedios de aromaterapia resulta muy útil cuando se tratan zonas pequeñas, inflamaciones y dolores de cabeza o fiebre. En cada caso te hemos ido explicando cómo debes elaborar la compresa, bien sea caliente o fría, con la mezcla adecuada de aceites esenciales indicados en cada dolencia o emoción negativa.

Cuando la prepares, es mejor que escojas una toalla o una tela que sean de buen algodón y, si es posible, sin ningún tipo de tinte para evitar irritaciones en las pieles más sensibles. Escogido el tejido, lo embebes del agua al que hayas añadido los aceites esenciales recomendados y lo pones sobre la zona afectada.

En el caso de las compresas calientes, puedes potenciar su efecto si pones encima una botella de agua caliente o una manta, ya que así se alarga el beneficio que el calor y los principios activos de los aceites esenciales proporcionan sobre la zona que estás tratando.

Gargarismos

Sólo debes hacer gargarismos en aquellos casos en que te lo recomiende el aromaterapeuta. Resultan muy útiles para tratar afecciones de garganta y de encías, pero es muy importante que no te tragues el líquido, ya que algunos aceites esenciales son irritantes y podrían producirte lesiones internas.

En las diferentes afecciones en las que puede resultar útil hacer gargarismos te hemos proporcionado el remedio y el método correspondiente, para que puedas beneficiarte también de esta aplicación aromaterapéutica.

Los principales aceites esenciales

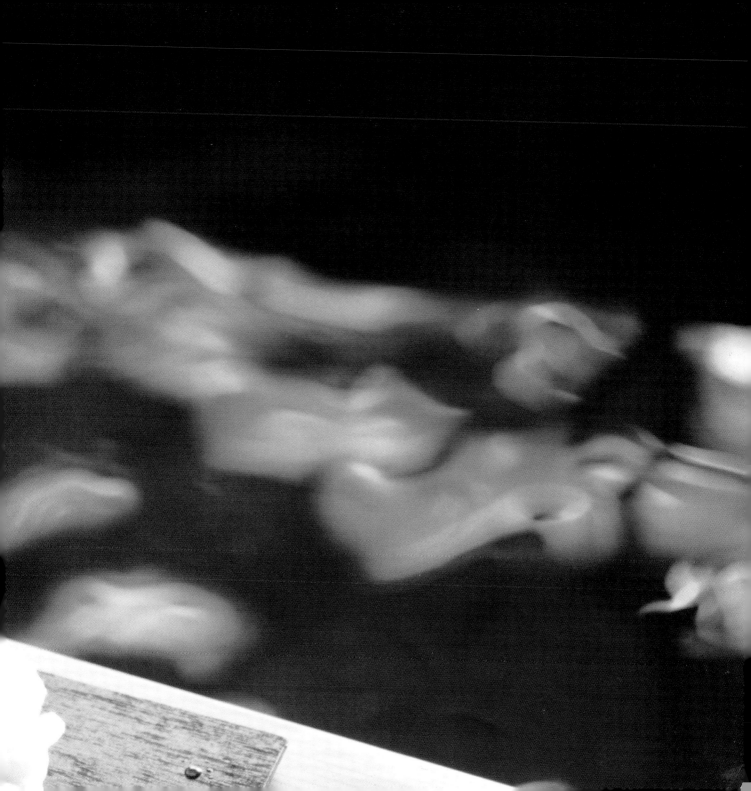

Los aceites esenciales: una terapia segura

Los aceites esenciales son una fuente extraordinaria de beneficios terapéuticos y cosméticos de origen natural. Es un tesoro que la naturaleza pone a nuestro alcance a través de diferentes procesos y que se pueden aplicar de diferentes maneras.

Sin embargo, la palabra «natural» no siempre es sinónimo de inocuo o beneficioso. Los productos vegetales pueden llegar a ser muy potentes y conviene siempre que te los recomiende o aplique un terapeuta de tu confianza. Y esta recomendación no se reduce sólo a los aceites esenciales, sino que también hace referencia a la fitoterapia, las flores de Bach o cualquier producto terapéutico de origen natural.

Si se sigue el consejo del especialista, y se aplica la mesura y el sentido común, la aromaterapia sólo puede reportar beneficios, grandes beneficios, a nuestro cuerpo y nuestras emociones. Bien utilizada, podrá ser tu compañera para superar estados físicos y emocionales problemáticos como los que te describimos en los capítulos finales de este libro. Sin embargo, queremos hacer hincapié en la serie de medidas y consejos que te hacemos en el capítulo anterior y que pueden evitar un uso abusivo o incorrecto de los aceites esenciales, con los consiguientes efectos negativos que podrían tener sobre tu salud y tus emociones.

Además, también te facilitamos una lista de los aceites esenciales que pueden presentar toxicidad. Hay fabricantes que los comercializan para su uso en la cosmética, la perfumería y el hogar, aunque no para la terapia o el bienestar emocional. Te desaconsejamos completamente su uso para evitar que corras cualquier tipo de riesgo. Esta toxicidad viene, en muchos casos, determinada por los principios activos que se generan en el proceso de extracción y que, en ocasiones, no están en la planta de la que se extraen.

En otros casos, el proceso de extracción por disolventes volátiles los inutiliza para su uso en terapia porque quedan pequeñas trazas de esos productos químicos, aunque se usan con toda normalidad en perfumería.

La lista de aceites esenciales «seguros» que te proporcionamos al final de este capítulo es muy extensa, y estamos convencidos de que recoge todas tus necesidades físicas y emocionales a la hora de necesitar un tratamiento con aromaterapia. Así que evita los siguientes aceites y disfruta de los que se describen después.

Aceites que conviene evitar

Debemos decir que, aunque representan un riesgo si se emplean de forma incorrecta, los aceites esenciales que te relacionamos a continuación están avalados por la Asociación Internacional de Aromaterapeutas.

Por otro lado, el uso de las plantas de las que proceden puede ser seguro tanto en fitoterapia y homeopatía como en tu cocina.

Así que, insistimos, esta lista que tienes a continuación es sólo de aceites esenciales y puedes seguir utilizando con tranquilidad en tus infusiones o en tus recetas muchas de estas plantas, o tomar con confianza aquellos remedios que te recete tu homeópata a partir de algunas de ellas.

Listado de aceites que conviene evitar

- **Acoro**
  Acorus calamus

- **Ajedrea fina**
  Satureja hortensis

- **Ajenjo**
  Artemisia absinthium

- **Alcanfor marrón y amarillo**
  Cinnamomum camphora

- **Almendra amarga**
  Prunus dulcis var. amarga

- **Árnica**
  Arnica montana

- **Artemisa pegajosa**
  Artemisia vulgaris

- **Buchu**
  Barosma betulina

- **Corteza de canela**
  Cinnamomum cassia

- **Crotón**
  Cortón tiglium y C. oblongifolius

- **Gaulteria**
  Gaultheria procumbens

- **Hoja de boldo**
  Peumus boldus

- **Jaborandi**
  Pilocarpus microphyllus

- **Melilotus**
  Melilotus officinalis

- **Mostaza**
  Brassica spp. esp. B. Nigra y B. juncea

- **Narciso**
  Narcissus poeticus

- **Ontina**
  Artemisia herba-alba

- **Perejil**
  Petroselenium crispum

- **Perifollo**
  Anthriscus cerefolium

- **Perilla**
  Perilla frutescens

- **Pino negro (enano)**
  Pinus pumilio (P. mugo)

- **Poleo**
  Menta pulegium

- **Rábano picante**
  Cochlearia armoracia

- **Retama**
  Cytisus scoparius

- **Ruda**
  Ruta graveloens

- **Sabina**
  Juniperus sabina

- **Santónico**
  Chenopodium ambrosioides

- **Sarapia**
  Diperyx odorata oppositiflora

- **Sasafrás**
  Sassafras albidum

- **Tanaceto o Hierba lombriguera**
  Tanacetum vulgare

- **Tuya**
  Thuja occidentalis

Glosario de propiedades terapéuticas

En este glosario te detallamos de forma muy resumida las principales características terapéuticas que pueden tener los aceites esenciales para que te sea más sencillo consultar toda la amplia relación de sesenta aceites que te proporcionamos después.

Se trata de palabras técnicas que se utilizan en medicina, farmacia y terapias naturales, y que puedes encontrar a lo largo de este libro.

● **Abortivo**
Puede llegar a provocar un aborto.
● **Afrodisíaco**
Estimula el apetito sexual.
● **Alucinógeno**
Provoca alucinaciones y visiones.
● **Analgésico**
Calma el dolor.
● **Analgésico dental**
Alivia el dolor de muelas.

● **Anafrodisíaco**
Disminuye el apetito sexual.
● **Anestésico**
Contribuye a la pérdida de sensación y calma el dolor.
● **Anodino**
Tranquiliza el ánimo y alivia el dolor.
● **Antiácido**
Reduce la producción de ácido.
● **Antialergénico**
Ayuda a calmar los síntomas de la alergia.
● **Antianémico**
Contribuye a superar la anemia.
● **Antiartrítico**
Calma la artritis.
● **Antibilis**
Ayuda a eliminar el exceso de bilis.
● **Antibiótico**
Combate las bacterias.
● **Anticatarral**
Alivia los síntomas del resfriado.
● **Anticoagulante**
Licua la sangre para prevenir la formación de coágulos.

● **Anticonvulsivo**
Ayuda a controlar las convulsiones.
● **Antidepresivo**
Promueve la euforia y neutraliza la melancolía.
● **Antidiarreico**
Detiene la diarrea.
● **Antiemético**
Ayuda a controlar las náuseas y los vómitos.
● **Antiesclerótico**
Ayuda a reducir el riesgo de endurecimiento de los tejidos inflamados.
● **Antiescorbútico**
Previene la enfermedad del escorbuto.
● **Antiespasmódico**
Reduce los espasmos y calambres musculares.
● **Antiflogístico**
Alivia la inflamación.
● **Antigalactogogo**
Corta el flujo de leche materna.
● **Antihemorrágico**
Ayuda a detener una hemorragia.

● **Antihistamínico**
Alivia los síntomas producidos por la liberación de histamina en las alergias.

● **Antiinfeccioso**
Combate las infecciones.

● **Antiinflamatorio**
Alivia la inflamación.

● **Antilítico**
Reduce el riesgo de formación de cálculos en el riñón.

● **Antimicrobiano**
Elimina los microbios.

● **Antineurálgico**
Alivia el dolor producido por un nervio inflamado.

● **Antioxidante**
Reduce y previene el envejecimiento de los tejidos.

● **Antiparasitario**
Combate los parásitos.

● **Antipirético**
Baja la fiebre.

● **Antiprurítico**
Alivia el picor y el escozor.

● **Antiputrefactivo**
Retrasa la putrefacción de una materia animal o vegetal.

● **Antirreumático**
Combate los dolores e inflamación producidos por el reumatismo.

● **Antiséptico**
Impide la proliferación de las bacterias.

● **Antisudorífico**
Impide la sudoración.

● **Antitérmico**
Calma la fiebre.

● **Antitóxico**
Neutraliza los efectos de la ingestión o inhalación de un tóxico.

● **Antitusígeno**
Calma la tos.

● **Antiveneno**
Neutraliza los efectos del veneno de serpiente, escorpión y algunos insectos.

● **Antiverrugas**
Ayuda a reducir y eliminar las verrugas.

● **Antiviral**
Inhibe el desarrollo de los virus.

● **Aperitivo**
Promueve el apetito.

● **Astringente**
Ejerce un efecto de contracción sobre diferentes tejidos del cuerpo.

● **Bactericida**
Frena el desarrollo y la acción de las bacterias.

● **Balsámico**
Alivia y suaviza la flema de los pulmones.

● **Cardíaco**
Estimula el corazón.

● **Cardiotónico**
Estimula el corazón y tiene características afines con este órgano.

● **Carminativo**
Calma la flatulencia y promueve el tránsito intestinal.

● **Cefálico**
Combate y mitiga los dolores de cabeza.

● **Colagogo**
Promueve el flujo de la bilis hacia el duodeno.

● **Colerético**
Contribuye a aumentar la secreción de bilis.

● **Cicatrizante**
Ayuda a la cicatrización.

● **Citofiláctico**
Promueve la regeneración celular.

● **Citotóxico**
Ejerce un efecto venenoso sobre las células.

● **Comedogénico**
Ayuda a reducir los granos y las ampollas.

● **Cordial**
Tiene afinidad con el corazón y lo tonifica.

● **Depurativo**
Limpia la sangre de componentes tóxicos.

● **Descongestivo**
Reduce la secreción nasal.

● **Desinfectante**
Elimina los gérmenes.

● **Desintoxicante**
Elimina las sustancias tóxicas.

● **Desodorante**
Neutraliza el olor corporal.

● **Diaforético**
Sudorífico.

● **Digestivo**
Ayuda en la digestión.

● **Diurético**
Estimula la eliminación de líquidos a través de la orina.

● **Emenagogo**
Ayuda a regular la menstruación.

● **Emético**
Promueve el vómito.

● **Emoliente**
Suaviza e hidrata la piel.

● **Espasmolítico**
Calma los espasmos y calambres musculares.

● **Esplenético**
Tonifica el bazo y posee afinidad con este órgano.

● **Estimulante**
Es un vigorizador del cuerpo y la mente.

● **Estomacal**
Alivia los trastornos del estómago y posee afinidad con este órgano.

● **Euforizante**
Produce euforia y bienestar general.

● **Expectorante**
Promueve la eliminación de la flema y alivia el resfriado.

● **Fungicida**
Combate las infecciones por hongos.

● **Galactogogo**
Promueve el flujo de leche materna.

● **Germicida**
Combate los gérmenes y las bacterias.

● **Hemostático**
Detiene las hemorragias y espesa la sangre.

● **Hepático**
Estimula el hígado y tiene afinidad con este órgano.

● **Hepatotóxico**
Tiene un efecto tóxico para el hígado.

● **Hipertensivo**
Aumenta la presión de la circulación sanguínea.

● **Hipnótico**
Contribuye a conciliar el sueño y favorece los estados de trance.

- **Hipoglicemiante**
Tratamiento de la diabetes
- **Hipoglucémico**
Baja el nivel de azúcar
en sangre.
- **Hipotensor**
Reduce la presión sanguínea.
- **Inmunoestimulante**
Potencia el sistema inmuno-
lógico.
- **Insecticida**
Mata los insectos.
- **Larvicida**
Mata las larvas y previene su
aparición.
- **Laxante**
Facilita el tránsito intestinal.
- **Lipolítico**
Reduce la grasa corporal.
- **Mucolítico**
Licua la mucosidad y facilita
su eliminación.
- **Narcótico**
Induce al sueño aunque no
deben tomarse grandes dosis.
- **Nervino**
Produce un efecto equilibra-
dor sobre el sistema nervioso.

- **Neurotóxico**
Resulta perjudicial para el
sistema nervioso.
- **Pediculicidal**
Ayuda a matar los piojos y
liendres.
- **Profiláctico**
Ayuda a prevenir
enfermedades.
- **Purgante**
Produce una evacuación rápi-
da del intestino.
- **Reconstituyente**
Revitaliza y restituye la salud.
- **Regulador**
Equilibra las funciones del
organismo.
- **Relajante**
Alivia el nerviosismo.
- **Rubefaciente**
Enrojece la piel por una
activación de la circulación
sanguínea local.
- **Sedante**
Alivia el nerviosismo.
- **Sialogogo**
Potencia la secreción de la sali-
va.

- **Soporífero**
Produce sueño.
- **Sudorífico**
Estimula la sudoración.
- **Tónico**
Tonifica y revitaliza el
organismo.
- **Uterino**
Revitaliza el útero y tiene
afinidad con este órgano.
- **Vasoconstrictor**
Contrae los vasos sanguíneos
por medio de
aplicación local.
- **Vasodilatador**
Dilata los vasos sanguíneos
por medio de aplicación local.
- **Vermífugo**
Mata y expulsa lombrices
intestinales.
- **Vulnerario**
Ayuda a cicatrizar.

Los aceites esenciales más habituales

Los aceites esenciales que te describimos aquí pueden ser, en algunos casos fototóxicos, es decir, que no conviene aplicárselos antes de tomar el sol porque pueden salirte manchas en la piel.

Otros también pueden producir cierta irritación o sensibilización en pieles muy sensibles.

En todos los casos te lo indicamos en el apartado «Advertencia» para que puedas tomar la decisión de elegirlo o descartarlo.

Suelen ser reacciones que no se producen si el aceite esencial está diluido en un buen aceite portador y en las cantidades indicadas por el aromaterapeuta, pero siempre es mejor tener toda la información para poder escoger con libertad.

Abedul blanco

Nombre latino:
Betula alba
Familia:
Betuláceas

Descripción general

El abedul es un árbol esbelto y de copa alargada que puede superar los 25 m de altura. Sus hojas, de pequeño tamaño, se agrupan en ramilletes en sus ramas colgantes y su fruto es similar a la nuez.

Por otro lado, hay diversas especies de abedules, aunque las más corrientes son la *Betula verrucosa* y la *Betula pubescens*.

El abedul se trata de uno de los árboles más presentes en la flora de la Europa septentrional, noroccidental y central, especialmente en aquellas zonas en las que los suelos son algo húmedos.

Asimismo, se adaptan a la perfección a los suelos que no son excesivamente ricos en nutrientes. De este modo, es un árbol muy característico de los países nórdicos, como Suecia, por ejemplo, y además está muy presente en las grandes ciudades.

Advertencia
● *No debes utilizarlo si estás embarazada.*
● *No debe confundirse con el abedul dulce (Betula lenta), que es tóxico.*

Propiedades terapéuticas del aceite esencial

● **Analgésico**
● **Antiinflamatorio**
● **Antirreumático**
● **Antiséptico**
● **Astringente**
● **Cicatrizante**
● **Depurativo**
● **Hipotensor**

En fitoterapia se aprovecha todo de este árbol, pero en aromaterapia se utilizan la corteza, de color blanco plateado, y las hojas, de donde se extrae su valioso aceite esencial. Éste posee un olor balsámico y penetrante, con notas de humo, cuero y brea vegetal.

Principales componentes químicos
● Triterpenos lupánicos como betulinol, lupeol, lupandiol y ácido betulínico. Flavonoides, alantoína, betulósido, taninos y suberina.

Aplicaciones terapéuticas
● Reumatismo, gota, eccema, psoriasis, úlceras cutáneas.

Aplicaciones cosméticas
● Celulitis, exceso de peso.

Ajedrea

Nombre latino:
Satureja montana
Familia:
Labiadas

Descripción general

Las dos variedades de ajedrea, tanto la de jardín como la silvestre, son muy parecidas, pero en aromaterapia sólo se utiliza la silvestre, la ajedrea del monte. Esta planta de hojas estrechas y flores olorosas, tiene un tallo velloso de base ramificada y leñosa.

En la actualidad, la ajedrea es una planta común en toda la cuenca del Mediterráneo, aunque parece ser que su origen está en las costas del mar Negro y en el litoral más oriental del mar Mediterráneo.

Su aceite esencial se extrae por destilación de las hojas, en ocasiones, de las flores. Su olor es muy aromático y algo acre, como el del tomillo.

Principales componentes químicos

- Fenoles como timol, carvacrol, cineol, cimeno y pineno.

Advertencia

- *No debes utilizarlo si estás embarazada.*
- *Tiene propiedades rubefacientes y no está indicado en pieles muy sensibles.*
- *No confundir con la ajedrea de jardín, muy irritante.*

Aplicaciones terapéuticas

- Abscesos, aftas orales, anorexia (ayuda en su tratamiento), asma, cicatrices, cortes, depresión, dispepsia, estrés, flatulencia, frigidez, impotencia, llagas, picaduras de insecto, quemaduras.

Aplicaciones cosméticas

- Da muy buenos resultados en los tratamientos para combatir el acné y está presente en muchos productos de higiene.

¿Sabías que...?

- *Los griegos la consideraban afrodisíaca y la llamaban «satyr», nombre del cual derivó su denominación latina. Esta planta se ha utilizado desde entonces en la cocina y la medicina popular.*

Propiedades terapéuticas del aceite esencial

- Afrodisíaco
- Antiinfeccioso
- Antiséptico
- Estomacal
- Expectorante
- Tónico

Albahaca

Nombre latino:
Ocimum basilicum
Familia:
Labiadas

Descripción general

Aunque hay muchas variedades de albahaca, todas comparten un aroma intenso al aplastar sus hojas. La planta, de hojas verde oscuro velludas y ovaladas, tiene unas flores blancas y llega a una altura de unos 25 cm. Su aceite esencial, que se extrae de toda la planta por destilación al vapor, es amarillo verdoso claro y el olor es refrescante y agradable, de nota alta. De entrada es verde y fresco, y luego da paso a un aroma especiado y cálido, con notas anisadas. Recuerda a una mezcla de tomillo, regaliz y menta, y actúa más sobre la mente y las emociones que sobre los aspectos físicos.

¿Sabías que...?

● *En la cultura hindú se llamaba «tulsi» y la consideraban una hierba sagrada, por lo que la utilizaban para prestar juramento ante los jueces. En griego se llamaba «okimon», que significa 'veloz' y hacía referencia a la rapidez con que crece esta planta.*

A veces también se la llama «basilisco», su nombre latino. Este término viene de «basilicon», que significaba 'ungüento de reyes'. También le atribuían propiedades afrodisíacas, lo que explica que tuviera una gran presencia en sus recetas culinarias.

Propiedades terapéuticas del aceite esencial

- Antidepresiva
- Antiespasmódica
- Antiséptica
- Carminativa
- Cefálica
- Digestiva
- Emenagoga
- Estomacal
- Expectorante
- Febrífuga
- Nervina
- Sudorífica
- Tónica

Principales componentes químicos

● Alcohol, cetonas, fenoles y terpenos: linalol, alcanfor, borneono, cineol, estragol, eugenol, pineno, ocimeno, silvestreno, metilchavicol.

Aplicaciones terapéuticas

● Ansiedad, bronquitis, depresión, desmayos, dispepsia, dolor de oídos, epilepsia, fatiga mental, fiebre, fiebre del heno, gota, hipo, histeria, insomnio, melancolía, migraña, náuseas, parálisis, pólipos nasales, regula el ciclo menstrual, repelente de insectos, resfriado, tensión nerviosa, tos ferina, trastornos respiratorios, vómitos.

Aplicaciones cosméticas

● Se utiliza mucho en perfumería masculina y en el tratamiento de pieles grasas.

Advertencia

Es un aceite muy potente que no se puede utilizar sin el asesoramiento de un aromaterapeuta experimentado.

Sólo debe usarse alcanfor blanco, ya que el marrón y el amarillo contienen safrol, y son tóxicos.

No lo utilices si estás embarazada.

Alcanfor blanco

Nombre latino:
Cinnamomum camphora
Familia:
Lauráceas

Descripción general

Este árbol, pariente del laurel, es muy grande y resistente, y puede superar los 30 m de altura. De hoja perenne, su tronco dicen que puede llegar a tener 12 m de perímetro. Sus hojas verde oscuro son serradas y elípticas, sus flores blancas y pequeñas crecen en racimo, y sus frutos son unas bayas de color rojo oscuro.

El alcanfor es una sustancia que segrega el árbol, pero no lo produce hasta que supera los cincuenta años. Tras extraer esta masa cristalina del árbol, se procede a someter el alcanfor al método de destilación al vapor para conseguir un aceite esencial claro y de olor penetrante, que recuerda al eucalipto y a las bolas antipolillas que antiguamente se ponían entre la ropa.

Es un remedio muy potente que da buenos resultados en afecciones importantes, como la insuficiencia cardíaca, la neumonía y la tuberculosis. Sin embargo, debe utilizarse bajo la supervisión de un especialista.

¿Sabías que...?
● *Dicen los chinos que este árbol, procedente de Oriente, puede vivir más de mil años.*

Árbol de alcanfor milenario.

Propiedades terapéuticas del aceite esencial

- Analgésico
- Antidepresivo
- Antiespasmódico
- Antihelmínico
- Antipirético
- Antiséptico
- Carminativo
- Diurético
- Estimulante
- Hipertensor
- Laxante
- Rubefaciente
- Sedante
- Sudorífico
- Vasoconstrictor
- Vulnerario

Principales componentes químicos
● Azuleno, broneol, cadinero, camfeno, carvacrol, cineol, citrinelol, alcohol cumínico, dipenteno, eugenolfelandreno, pineno, safrol y terpineol.

Aplicaciones terapéuticas
● Acné, bronquitis, cólico, contusiones, debilidad, depresión, diarrea, dolor de muelas, shock, estreñimiento, fiebre, flatulencia, gota, heridas, hipotensión, inflamación, insomnio, insuficiencia cardíaca, ira, neumonía, parásitos intestinales, quemaduras, resfriado, retención de orina, reuma, tensión nerviosa, torceduras, tuberculosis, úlceras, vómitos.

Aplicaciones cosméticas
● Resulta muy útil en el cuidado de la piel grasa.

Alcaravea

Nombre latino:
Carum carvi
Familia:
Umbelíferas

Descripción general

Esta planta, emparentada con el comino y el coriandro, tiene unas hojas parecidas a la zanahoria y crece hasta unos 60 cm de altura. Sus flores blancas o rosadas dan unas semillas parecidas a las del comino y es de donde se destila el aceite esencial. Dicho aceite, transparente y con algunos reflejos amarillos, va tomando color con el tiempo. Su olor es más afrutado y cálido que el del comino, y recuerda al almizcle.

Principales componentes químicos
- Carvona, arcavol, carveno, limoneno.

Advertencia
- *Es completamente inofensivo y puede utilizarse incluso en bebés. Tan sólo hay que mezclar 12 gotas de aceite esencial de alcaravea con 2 gotas de aceite de germen de trigo y 50 ml de aceite de almendras dulces. Luego, calientas un poco la mezcla y das masajes en círculo en el estómago del bebé en el sentido de las agujas del reloj.*

Aplicaciones terapéuticas
- Cólico del lactante, cólico, colitis, dismenorrea, dispepsia, dolor estomacal, flatulencia, inapetencia, indigestión, meteorismo, palpitaciones, parásitos intestinales, vértigos.

Aplicaciones cosméticas
- Perfumes, jabones y dentríficos.

¿Sabías que...?
- *La planta de la alcaravea es tan antigua como el ser humano y que se han encontrado numerosas semillas fosilizadas en yacimientos neolíticos europeos. Esta semilla se ha utilizado en la cocina en todas las culturas, que han sabido reconocer sus propiedades digestivas y culinarias.*

Propiedades terapéuticas del aceite esencial

- Aperitivo
- Antiespasmódico
- Carminativo
- Diurético
- Estimulante
- Emenagogo
- Galactogogo
- Estomacal
- Tónico
- Vermífugo

Advertencia

● *El aceite esencial de raíz de angélica puede ser fototóxico, es decir, puede reaccionar irritando la piel si la expones al sol después de aplicarlo sobre ella. Por lo tanto, no tomes el sol después de aplicártelo.*

● *No lo utilices durante el embarazo.*

Si te pasas en la dosis puede darte sueño y ralentizar tu circulación sanguínea.

Angélica

Nombre latino:
Angelica archangelica
Familia:
Umbelíferas

Descripción general

Conocida también como «hierba del Espíritu Santo», es una planta grande que puede llegar a superar los 2 m de altura. Sus hojas, verdes y brillantes, recuerdan al helecho, y las flores, que contienen la semilla de donde se extrae uno de sus aceites esenciales, son muy aromáticas. La fragancia es dulce y penetrante, con notas terrosas.

Se extrae aceite esencial de su raíz y de sus semillas. Son parecidos, pero el de raíz es más fuerte y concentrado, y las semillas tienen una cantidad mayor de aceite esencial. En ocasiones se utilizan por separado y, en otras, se combinan. Son de un color transparente que se va volviendo amarillo con el tiempo. Cuando la tonalidad llega a ser parda, debe desecharse.

¿Sabías que...?
● *Existe una antíquisima leyenda que asegura que los numerosos beneficios de la angélica los conoció un monje de la misma boca del arcángel Rafael, que se los confió por su honradez y bondad en medio de una grave epidemia.*

Propiedades terapéuticas del aceite esencial

- Afrodisíaco
- Antiespasmódico
- Antitérmico
- Bactericida
- Carminativo
- Depurativo
- Diurético
- Emenagogo
- Estimulante
- Estomacal
- Expectorante
- Fungicida
- Hepático
- Nervino
- Sudorífico
- Tónico

Principales componentes químicos
● Ácido angélico, angelicina, terebangeleno, borneol, linalol, bergapteno, limoneno, felandreno y pineno.

Aplicaciones terapéuticas
● Anemia, anorexia, artritis, bronquitis crónica, cefalea, ciática, cicatrices, cistitis, cólico, dolor de articulaciones, dolor de muelas, dolor muscular, estimula el sistema inmunológico, estrés, fatiga nerviosa, flatulencia, gota, hematomas, heridas, indigestión, irritación cutánea, mareo, migraña, nariz congestionada, náuseas, pleuresía, psoriasis, retención de líquidos, reuma.

Aplicaciones cosméticas
● Aclara las pieles congestionadas.

Apio

Descripción general

Se extrae de la planta del apio silvestre o del apio dulce. En su forma silvestre, la hoja y el tallo tienen un olor desagradablemente fuerte, que se intentó suavizar en la especie dulce que se encuentra en la actualidad en las verdulerías. El apio silvestre crece desde hace años sobre todo en zonas pantanosas de clima templado de Europa.

Aunque todas las partes de la planta contienen aceite esencial, el más apreciado es el que se extrae de la semilla. Tiene una textura muy fluida, un suave color amarillo y un intenso olor a apio.

Nombre latino:
Apium graveolens
L. var. dulce
Familia:
Apiáceas
(umbelíferas)

Principales componentes químicos
- Limoneno, selineno, sedalonida, ácido palmítico, apiol y beta-terpineol.

Propiedades terapéuticas del aceite esencial

- Antiespasmódico
- Antioxidante
- Antipigmentario
- Antiséptico urinario
- Aperitivo
- Bactericida
- Carminativo
- Colagogo
- Descongestionante venoso
- Digestivo
- Diurético
- Emenagogo
- Estimulante urinario
- Galactogogo
- Hepático
- Nérveo
- Sedante
- Tónico digestivo

Advertencia
- *No lo utilices durante el embarazo.*

Aplicaciones terapéuticas
- Afrodisíaco, amenorrea, ansiedad, artritis, astenia, cálculos renales, ciática, cistitis, congestión hepática, depuración de la sangre, diabetes, dispepsia, flatulencia, gota, hemorroides, incrementa el flujo de leche, indigestión, problemas glandulares, retención de líquidos, reuma.

Aplicaciones cosméticas
- Parece ser que resulta de utilidad en el tratamiento de manchas pigmentarias.

¿Sabías que...?
- *La cultura griega la llamaba «planta de la Luna» (selinon) y aseguraban que actuaba sobre el sistema nervioso, además de ser un gran tónico. Posteriormente se le atribuyeron propiedades diuréticas. Los romanos también conocían esta planta, aunque le daban una condición terapéutica distinta: se coronaban con ella para soportar mejor las resacas.*

Árbol del té

Descripción general

Nombre latino:
Melaleuca alternifolia
Familia:
Mirtáceas

El aceite esencial del árbol del té proviene de un arbusto de origen australiano con hojas acabadas en punta y unas flores amarillas o púrpuras. Su nombre se debe a la tripulación del capitán Cook, cuyos componentes bebían en el siglo XVIII una infusión hecha de las hojas de este arbusto.

El aceite, incorporado en los años setenta a la aromaterapia, se extrae de las hojas y las ramas por destilación al vapor. De color amarillo pálido, su olor es áspero y terroso, con una nota alcanforada, pero es una aroma limpio y masculino, cálido y fresco a la vez.

Se trata de un aceite muy polivalente, que actúa sobre el sistema inmunológico y que parece ser el «remedio a todos los males», dado su amplio espectro de acción terapéutica y cosmética.

Principales componentes químicos
● Terpineol, cineol, cimeno, pineno y terpineno.

Aplicaciones terapéuticas
● Abscesos, aftas bucales, agotamiento, asma, astenia, bronquitis, candidiasis, cistitis, congestión ovárica, depresión, fatiga cardíaca, fiebre, fiebre del heno, foliculitis, gingivitis, gripe, heridas, infecciones otorrinolaringólogas, infecciones genitales, inflamación intestinal, lesiones causadas por radioterapia, nerviosismo, parásitos intestinales, picaduras de insectos, pie de atleta, piorrea, psoriasis, pulmonía, quemaduras de la piel, resfriado, sabañones, sinusitis, tosferina, tuberculosis, vaginitis, varices.

Aplicaciones cosméticas
● El aceite esencial del árbol del té se emplea sobre todo para el cuidado de la piel. Favorece el cuidado y tratamiento de las pieles grasas. Además, suaviza las marcas producidas por el virus del herpes o la varicela y ayuda a regenerar la piel agrietada.

● Por otro lado, éste es un aceite esencial que resulta muy útil para los adolescentes, ya que también se muestra de gran eficacia en los casos de acné.

¿Sabías que...?
● *Los aborígenes de Australia utilizan esta planta para curar heridas infectadas. Actualmente su aceite es objeto de una investigación para tratar el virus del sida.*

Advertencia

● *Si lo utilizas puro, siempre conviene probar una gotita sobre la piel para comprobar si se produce una reacción alérgica. Comprobada su inocuidad, debes aplicar sólo en la zona afectada.*

Propiedades terapéuticas del aceite esencial

- Analgésico
- Antibiótico
- Antifúngico
- AntiInflamatorio
- Antiparasitario
- Antiprurítico
- Antiséptico
- Antiviral
- Bactericida
- Balsámico
- Cicatrizante
- Cordial
- Expectorante
- Fungicida
- Inmunoestimulante
- Insecticida
- Tónico cutáneo
- Tónico nervioso
- Sudorífico
- Vulnerario

Benjuí

Descripción general

El aceite de benjuí se extrae de un árbol originario del sudeste asiático. Con una altura de hasta 20 m, sus hojas son ovaladas y velludas y sus flores, carnosas y de color amarillo verdoso.

El aceite esencial se extrae de su resina, que es muy balsámica, por medio del método de disolventes volátiles. De olor dulzón, intenso y vainillado, tiene una consistencia viscosa y un color pardo.

Nombre latino:

Styrax benzoin

Familia:

Estiracáceas

Principales componentes químicos

● Ácido cinámico, vainillina, benzoato de coniferil, ácido benzoico, feniletileno y alcohol fenilpropílico.

Aplicaciones terapéuticas

● Artritis, asma, bronquitis, dermatitis, estrés, gota, gripe, heridas, laringitis, lesiones cutáneas, mala circulación, prurito, psoriasis, reumatismo, tensión nerviosa, tos.

¿Sabías que...?

● *El benjuí también se ha utilizado durante siglos como incienso en las iglesias y en los rituales mágicos.*

Advertencia

● *Si estás embarazada, puedes utilizar el aceite esencial de benjuí a partir del cuarto mes de gestación. Sin embargo, no se recomienda su uso en bebés.*

● *Es conveniente hacer una prueba previa en la piel para conocer si puedes tener una reacción alérgica. No la produce el benjuí en sí, sino el disolvente utilizado en su extracción.*

Propiedades terapéuticas del aceite esencial

● **Antiinflamatorio**
● **Antioxidante**
● **Antiséptico**
● **Astringente**
● **Carminativo**
● **Cordial**
● **Desodorante**
● **Diurético**
● **Expectorante**
● **Sedante**
● **Vulnerario**

Aplicaciones cosméticas

● Ayuda a atenuar las manchas de la cara, las manos y el escote, sobre todo si se combina con aceite esencial de limón. También es un excelente tónico para la piel irritada y sensible.

● Por otro lado, en perfumería el benjuí se utiliza como fijador de aromas.

Cajeput

Descripción general

También conocido como «cayeput» o «cayeputi», el aceite esencial se extrae de un árbol que crecía originariamente en la India, aunque ahora se encuentra, sobre todo, en las regiones tropicales de Australia y el sudeste asiático. Llegó a Occidente en el siglo XVII, pero se utilizaba por sus propiedades medicinales en Oriente desde mucho antes.

El aceite se extrae por destilación de las hojas, los capullos y los brotes, y es casi transparente, aunque de un olor penetrante y especiado, que evoca la pimienta, el eucalipto y el alcanfor.

Nombre latino:
Melaleuca leucadendron
Familia:
Mirtáceas

Principales componentes químicos
● Cineol, aldehído benzoico, butírico, valérico, pineno y terpineol.

Propiedades terapéuticas del aceite esencial

- Analgésico
- Antiespasmódico
- Antimicrobiano
- Antineurálgico
- Antipirético
- Antiséptico
- Carminativo
- Expectorante
- Descongestionante venoso
- Insecticida
- Purificante
- Sudorífico
- Tónico
- Vermífugo

Aplicaciones terapéuticas
● Artritis, asma, bronquitis, bursitis, cistitis, dolor de garganta, espasmos musculares, fiebre del heno, gripe, hemorroides, herpes genital, infecciones urinarias, infecciones otorrinolaringólogas, parásitos intestinales, picaduras de insectos, piernas cansadas, psoriasis, pulmonía, resfriado, reumatismo, sinusitis, tos, varices.

Aplicaciones cosméticas
● Resulta de gran utilidad para prevenir lesiones cutáneas producidas por los tratamientos de radioterapia.
● También resulta muy útil para aliviar cualquier erupción cutánea y para tratar pieles con acné o impurezas.

Advertencia
● *Es el aceite esencial ideal para tratar los resfriados en los niños, pero nunca debe ingerirse. Su uso debe ser exclusivamente externo.*
● *Si estás embarazada, puedes utilizarlo a partir del cuarto mes de gestación.*

Bergamota

Nombre latino:
Citrus bergamia
Familia:
Rutáceas

Descripción general

El aceite de bergamota se extrae de la corteza de una fruta cítrica originaria del sur de Italia que recuerda a una lima, aunque con forma de pera. Es de un tamaño mucho más pequeño que otros cítricos y su color es amarillento. Las hojas son largas, lisas y ovaladas, y las flores, blancas.

El árbol no supera los 4 m y es un cruce de especies, pero creado hace siglos, ya que se tiene constancia desde la Edad Media. El aceite, extraído por expresión en frío, es de un tono verde esmeralda y su aroma, especiado y fresco a la vez, recuerda a la lavanda y al limón.

Principales componentes químicos
● Acetato de linalil, bergamotina, bergapteno, limoneno y linalol.

¿Sabías que...?
● *La bergamota es un excelente repelente de insectos natural.*
● *El árbol se llama «bergamota» porque fue en la ciudad de Bérgamo (Italia) donde primero se comercializó su esencia.*

Aplicaciones terapéuticas
● Abscesos, ansiedad, bronquitis, cálculos biliares, cáncer de útero, carbuncos, cistitis, cólico, depresión, difteria, dispepsia, eccema, estomatitis, estrés, fatiga mental, fiebre, flatulencia, glositis, gonorrea, gripe, halitosis, heridas, herpes, inapetencia, infecciones respiratorias, infecciones urinarias, leucorrea, llagas, parásitos intestinales, picaduras de insecto, prurito vaginal, psoriasis, resfriado, sarna, tensión nerviosa, tonsilitis, tuberculosis, úlceras varicosas.

Aplicaciones cosméticas

● Da muy buenos resultados en los tratamientos de pieles acnéicas por sus características antisépticas y rubefacientes. También está recomendado para cutis y cabello graso.

● Además, la esencia de bergamota es una de las más utilizadas en perfumería como base del agua de colonia por su aroma dulce y cítrico, muy fresco y que evoca a la lavanda.

Propiedades terapéuticas del aceite esencial

● Analgésico	● Diurético
● Antidepresivo	● Estimulante
● Antiespasmódico	● Expectorante
● Antipirético	● Insecticida
● Antiséptico	● Rubefaciente
● Carminativo	● Sedante
● Cicatrizante	● Tónico
● Desodorante	● Vermífugo
● Digestivo	● Vulnerario

Canela de Ceilán

Nombre latino:
Cinnamomum zeylanicum
Familia:
Lauráceas

Descripción general

Es la variedad más preciada de todas las canelas y proviene, como su nombre indica, de Ceilán, actual Sri Lanka. Pertenece a la misma familia que el laurel y es un árbol perenne de hojas brillantes y ovaladas y pequeñas flores amarillas agrupadas en racimos.

Este aceite esencial se extrae de las hojas por destilación y puede tener un color que va del amarillo al pardo. Su aroma es muy especiado y cálido, y recuerda extremadamente a la especia que se utiliza en cocina.

Principales componentes químicos
- Aldehído cinámico, eugenol, cariofilina, cimeno, linalol, metilacetona, felandreno y pineno.

¿Sabías que...?
- *A la canela se le atribuyen desde siempre propiedades afrodisíacas, y ya Plinio en su* Historia Natural *advertía contra las mujeres que la utilizaban para perfumar la ropa de cama.*

Propiedades terapéuticas del aceite esencial

- Afrodisíaco
- Antibacteriano
- Antiespasmódico
- Antivírico
- Astringente
- Cardiotónico
- Carminativo
- Digestivo
- Emenagogo
- Fungicida
- Hemostático
- Tónico circulatorio
- Vermífugo

Aplicaciones terapéuticas
- Amenorrea, anorexia, diarrea, dispepsia, espasmos intestinales, estrés, fatiga nerviosa, frigidez, gingivitis, gripe, impotencia funcional, infecciones dentales, infecciones estomacales, leucorrea, mala circulación, resfriado.

Aplicaciones cosméticas
- En cosmética se utiliza en pequeñas dosis como reafirmante cutáneo y siempre mezclado con otros aceites esenciales y un aceite portador.
- La canela forma parte de muchos perfumes masculinos y sus propiedades ligeramente astringentes dan buenos resultados en las lociones para después del afeitado.

Advertencia

● *Este aceite está contraindicado durante el embarazo y siempre debe aplicarse diluido al 1 %, ya que si lo aplicas directo sobre la piel o en el agua de baño puede producirte importantes irritaciones cutáneas.*

● *Aunque tiene grandes propiedades terapéuticas, nunca debes utilizar este aceite esencial por cuenta propia, ya que puede ser muy irritante. Siempre debe ser prescrito por un especialista debido a su alto contenido en eugenol.*

Cardamomo

Nombre latino:
Elettaria
cardamomum
Familia:
Zingiberáceas

Descripción general

El cardamomo es una planta herbácea perenne y grande que pertenece a la misma familia que el jengibre. Es originaria del sur de la India y Sri Lanka, aunque también crece en China e Indochina. Su rizoma es grande y carnoso, y sus grandes hojas tienen una textura sedosa. Sin embargo, las flores son pequeñas, al igual que sus frutos, y el aceite esencial se extrae por destilación de sus semillas. Es de color amarillo pálido casi transparente, y su perfume, cálido, fragante y especiado, recuerda a las maderas balsámicas.

Además de sus cualidades culinarias, tiene grandes aplicaciones terapéuticas; entre otras, ayuda a combatir infecciones, a regular la retención de líquidos y como tónico para el corazón afectado por problemas emocionales. Un amplio espectro para un antiquísimo aceite esencial.

¿Sabías que...?
● *El cardamomo se ha utilizado como especia y como medicina en la India desde muchos siglos atrás y se trata de una de las principales hierbas ayurvédicas. Su aroma fragante y rico le ha valido odas de poetas clásicos como Ovidio.*

Propiedades terapéuticas del aceite esencial

● **Afrodisíaco**
● **Antiespasmódico**
● **Antiséptico**
● **Carminativo**
● **Cefálico**
● **Digestivo**
● **Diurético**
● **Estomacal**

Advertencia
● *El aceite de cardamomo no es tóxico, ni irritante ni sensibilizante. Si estás embarazada puedes utilizarlo sin ningún problema durante toda la gestación.*

Principales componentes químicos
● Cineol, terpineol, limonelo, eucaliptol y zingibereno.

Aplicaciones terapéuticas
● Anorexia, cefalalgia, cólico, debilidad, dispepsia, fatiga mental, flatulencia, halitosis, inapetencia, menopausia, menstruación, náuseas, pirosis, tos, vómitos.

Aplicaciones cosméticas
● Se utiliza mucho en la composición de perfumes florales por su aroma suave, persistente y especiado. Además, se añade a pastas dentríficas por su capacidad para refrescar el aliento y prevenir la halitosis.

Cedro

Nombre latino:
Cedrus atlántica y
Juniper virginiana
Familia:
Coníferas

Descripción general

Se conoce como «aceite esencial de cedro» al que proviene de dos especies de árboles distintos. El cedro del Atlas, el más auténtico y que crece en Marruecos, está emparentado con el cedro del Líbano, del que existen muy pocos ejemplares.

El aceite esencial de esta conífera es amarillo pálido y su aroma de madera recuerda al sándalo, dulce y fragante.

El cedro rojo de Virginia crece en América del Norte y es de aroma leñoso. Denso e incoloro, tiene prácticamente las mismas aplicaciones terapéuticas que el cedro del Atlas.

El aceite esencial de este árbol piramidal y de hoja perenne, que puede alcanzar alturas de hasta 35 m, se obtiene de su madera, que se extrae por medio de la destilación al vapor. También pueden extraerse pequeñas cantidades de resinoide y de absoluto.

¿Sabías que...?
● *El aceite esencial de cedro podría ser el primer aceite que el ser humano extrajo de una planta. Por ejemplo, se tiene constancia de que fue utilizado por los egipcios para momificar a sus faraones y construir sus sarcófagos.*

Principales componentes químicos
● Cedro del Atlas: cedrol, cadineno, cedreno y cedrenol.
● Cedro rojo de Virgina: cedrol, cadineno, cedrenol y tuyona.

Aplicaciones terapéuticas
● Artritis, bronquitis, cistitis, congestión de las vías respiratorias, depresión, dermatitis, eccema, erupciones cutáneas, estrés, leucorrea, prurito vaginal, psoriasis, repelente de insectos, resfriado, reumatismo, sinusitis, temor, tensión nerviosa, tos, úlceras.

Advertencia

● *Si estás embarazada debes evitar por completo el uso de estos aceites esenciales ya que tienen propiedades abortivas.* ● *Sin embargo, el aceite de cedro ayuda a levantar el ánimo y se utiliza para favorecer los estados de meditación.*

Aplicaciones cosméticas

● Es de gran utilidad en el tratamiento de pieles acnéicas y grasas. También da buenos resultados en cueros cabelludos grasos o con caspa y de alopecia.

● Además, se utiliza en los tratamientos anticelulíticos dado que estimula el drenaje linfático y la eliminación de grasas. A estos beneficios se une su efecto diurético, que ayuda a combatir la retención de líquidos y reducir la celulitis.

Propiedades terapéuticas del aceite esencial

- Abortivo
- Afrodisíaco
- Antidepresivo
- Antiespasmódico
- Antiputrefactivo
- Antiseborreico
- Antiséptico
- Astringente
- Balsámico
- Diurético
- Diurético
- Emoliente
- Estimulante circulatorio
- Expectorante
- Fungicida
- Insecticida
- Mucolítico
- Sedante
- Tónico

Ciprés

Nombre latino:
Cupressus
sempervivens
Familia:
Cupresáceas

Descripción general

Esta conífera, originaria de la cuenca mediterránea, fue considerada sagrada por culturas como el Tíbet o la egipcia y, según cuenta la historia, la cruz de Jesucristo estaba hecha de madera de ciprés.

Es un árbol de hoja perenne y copa cónica que puede llegar a alcanzar los 40 m de altura. El aceite esencial se extrae por destilación al vapor de las ramas, las hojas y los frutos o estróbilos, y es de un pálido color amarillo verdoso. De olor balsámico y persistente, deja una fresca sensación en el ambiente y resulta ideal para aliviar el sistema respiratorio, superar estados de estrés o pérdida y calmar a los niños inquietos.

¿Sabías que...?

Las bañistas (1877) de Paul Cezanne.

● *El aceite esencial de ciprés contribuye a regular el sistema reproductor femenino y es uno de los grandes aliados de la mujer en los casos de trastornos menstruales. Además, su poder antisudorífico ayuda a superar los excesos de calor que acompañan a la menopausia.*

Principales componentes químicos
● Beta-pineno, terpineol, cedrol, alcanfor de ciprés, taninos y ácidos.

Aplicaciones terapéuticas
● Asma, bronquitis, diarrea, disentería, dismenorrea, edemas, enuresis, hemorragias, hemorroides, heridas, estrés, gripe, impaciencia, incontinencia, ira, irritabilidad, mala circulación, menopausia, menorragia, piorrea, reumatismo, tensión nerviosa, tos espasmódica, tos ferina, trastornos hepáticos, varices.

Advertencia

● *Dado que regula el ciclo menstrual no te aconsejamos su uso si estás embarazada.*
● *Si lo empleas para mejorar tu problema de varices, aplícalo sobre ellas en un suave masaje y sin presionar, porque podría ser contraproducente.*

Aplicaciones cosméticas

● Aunque una de sus aplicaciones cosméticas es su poder desodorante, lo cierto es que es el gran protagonista en los tratamientos anticelulíticos debido a su gran poder diurético, astringente y vasoconstrictor, que contribuye a disminuir considerablemente la retención de líquidos y a mejorar la circulación.

● Además, ayuda a recuperar la flexibilidad de las pieles cansadas y contribuye a regular la sudoración excesiva.

Propiedades terapéuticas del aceite esencial

● Antiespasmódico
● Antirreumático
● Antiséptico
● Antisudorífico
● Antitérmico
● Astringente
● Cicatrizante
● Desodorante
● Diurético
● Hemostático
● Hepático
● Insecticida
● Reconstituyente
● Reequilibrante nervioso
● Sedante
● Vasoconstrictor local

Citronela

Descripción general

Esta planta está emparentada con el lemongrass y la palmarrosa, y pertenece a la familia de gramíneas tropicales. Las variedades más apreciadas provienen de Java, las Seychelles, Nueva Guinea, la Guayana y Sri Lanka.

Su aceite esencial, que se extrae por destilación de sus hojas, tiene un acusado olor a limón y la tonalidad puede variar desde amarillo al marrón.

Nombre latino:
Cymbopogon nardus
Familia:
Gramíneas

Principales componentes químicos

● Aunque varían según el quimiotipo, suelen estar presentes citroneol, geraniol, citral, metil-eugenol y borneol.

¿Sabías que...?

● Si pones unas cuantas gotas en las sábanas o cerca de la almohada puede ayudarte a dormir a salvo de los mosquitos. También puedes frotarte las picaduras con una gota de aceite esencial de citronela para aliviar el picor y la inflamación, y al mismo tiempo las desinfectará. En los niños menores de ocho años debe utilizarse diluido (10 gotas de aceite esencial de citronela en 25 ml de aceite de almendras dulces).

Propiedades terapéuticas del aceite esencial

- ● Antibacteriano
- ● Antiespasmódico
- ● Antiinflamatorio
- ● Antipruriginoso
- ● Antirreumático
- ● Antiséptico
- ● Desodorante
- ● Diurético
- ● Emenagogo
- ● Estomacal
- ● Febrífugo
- ● Fungicida
- ● Insecticida
- ● Repelente de insectos
- ● Tónico

Advertencia

● *Evita por completo su uso si estás embarazada ya que ayuda a regular la menstruación y podría resultar abortivo. Por lo demás, no es tóxico ni irritante, pero puede producir reacciones alérgicas en personas con sensibilidad para las gramíneas.*

Aplicaciones terapéuticas

● Cefalea, fatiga mental, gripe, insecticida, migraña, neuralgia, picaduras de insecto, repelente de insectos, resfriado, reumatismo, trastornos menstruales.

Aplicaciones cosméticas

● Debido a su poder desodorizante y desinfectante, este aceite está muy presente en jabones, insecticidas y productos de limpieza.

Clavo

Descripción general

El árbol del clavo, o clavero, crece en países tropicales, sobre todo en islas, ya que suele preferir los climas costeros. Su altura no llega a los 10 m y su hoja recuerda al laurel, pero de un color verde más claro y con pequeñas manchas pardas que desprenden un especiado aroma al estrujarlas. Las flores son pequeñas y de color rojo oscuro, pero no suelen abrirse, ya que la especia es el capullo de este árbol.

Su gran poder antiséptico le ha hecho famoso como antiviral en muchas culturas y se utilizaba para combatir epidemias como la peste. El aceite esencial se destila de las hojas y los capullos florales, y debe realizarse varias veces el proceso. De un suave pero penetrante olor dulzón y especiado, es de color amarillo pálido cuando se acaba de destilar y va oscureciendo hasta alcanzar tonalidades marrones a medida que pasa el tiempo.

Nombre latino:
Eugenia caryophyllata
Familia:
Mirtáceas

¿Sabías que...?
● *Si estás intentando dejar de fumar puede ayudarte chupar un clavo de especia porque relaja y calma la tensión física y mental, además de perfumar el aliento.*

Propiedades terapéuticas del aceite esencial

- Anestésico
- Antibiótico
- Antiemético
- Antineurálgico
- Antioxidante
- Antiséptico
- Antiviral
- Aperitivo
- Carminativo
- Espasmolítico
- Estimulante
- Estomacal
- Expectorante
- Larvicida
- Sedante
- Vermífugo

Principales componentes químicos
● Eugenol, acetileugenol, ácido benzóico, benzoato de bencilo, furfurol, beta-cariofileno y vainillina.

Aplicaciones terapéuticas
● Aftas orales, artritis, asma, bronquitis, bursitis, cólico, cortes, cuidado de la dentadura, diarrea, dispepsia, dolor de muelas, flatulencia, frigidez, gripe, halitosis, inapetencia, náuseas, parásitos intestinales, pie de atleta, piorrea, pulmonía, repelente de insectos, resfriado, reumatismo, úlceras, vómitos.

Aplicaciones cosméticas
● Es de gran utilidad en los tratamientos para combatir el acné.

Advertencia

Puede causar irritaciones en las membranas mucosas o dermatitis en pieles sensibles, por lo que el aceite esencial de clavo debe aplicarse siempre diluido al 1 % como máximo.

Comino

Descripción general

La planta del comino se cree originaria de Egipto, aunque crece en la cuenca mediterránea desde hace muchos siglos.

De esta umbelífera sólo se aprovecha la semilla, tanto en fitoterapia como en aromaterapia, y es una especia que también se utiliza en la cocina y que constituye uno de los ingredientes principales del curry.

Aunque se parece a la alcaravea y recuerda al anís, se diferencian en el sabor. Existe el comino negro, muy preciado, y el comino blanco, más común.

El aceite se destila de estas semillas y es transparente, aunque con el tiempo adquiere ciertas tonalidades de amarillo pardo. Su aroma es muy intenso y recuerda mucho al del anís, aunque algo más almizclado.

Nombre latino:
Cuminus cyminum
Familia:
Umbelíferas

¿Sabías que...?
● *El comino ha estado presente en las culturas mediterráneas desde hace miles de años, y se han encontrado sus semillas en las tumbas de los faraones del Imperio egipcio.*

Advertencia
● *Es un aceite fotosensibilizante, así que no se debe tomar el sol después de aplicárselo para evitar una hiperpigmentación de la piel.*

Propiedades terapéuticas del aceite esencial

- Antiespasmódico
- Antiséptico
- Aperitivo
- Bactericida
- Carminativo
- Estimulante digestivo
- Laxante suave

Principales componentes químicos
● Aldehído cumínico, cuminol, cimeno, pineno y terpineol.

Aplicaciones terapéuticas
● Aerofagia, aumenta la fertilidad masculina, calambres menstruales, digestiones lentas, espasmos intestinales, inapetencia, tránsito intestinal lento.

Aplicaciones cosméticas
● Parece ser un buen remedio para combatir la celulitis. Suele mezclarse con aceite esencial de naranja o limón para mejorar el aroma.

Coriandro (o cilantro)

Nombre latino:
Coriandrum sativum
Familia:
Umbelíferas

Descripción general

La planta del coriandro se reparte desde China hasta México y aparece en las tradiciones culinarias de muchos países. De aroma muy intenso, esta umbelífera anual tiene unas hojas de un verde intenso parecidas a las del perejil y sus flores son de color malva.

El aceite esencial, que se extrae por destilación de las semillas es de una tonalidad amarillenta y posee un potente y agradable olor especiado y almizclado.

Principales componentes químicos
● Coriandrol, geraniol, pineno, borneol, p-cimol, felandreno y terpineno.

Aplicaciones terapéuticas
● Anorexia, artritis, diarrea, dispepsia, dolor de muelas, dolor muscular, espasmos faciales, espasmos musculares, fatiga nerviosa, fiebre, flatulencia, gota, gripe, mala circulación, migraña, náuseas, neuralgias faciales, resfriado, retención de líquidos, reumatismo.

Propiedades terapéuticas del aceite esencial

- ● Afrodisíaco
- ● Analgésico
- ● Antiespasmódico
- ● Antioxidante
- ● Antirreumático
- ● Aperitivo
- ● Bactericida
- ● Carminativo
- ● Citotóxico
- ● Depurativo
- ● Estimulante
- ● Estomacal
- ● Febrífugo
- ● Fungicida
- ● Larvicida
- ● Lipolítico
- ● Relajante

Aplicaciones cosméticas
● Tiene propiedades lipolíticas que, unidas a su poder depurativo y citotóxico, ayudan a eliminar la retención de líquidos y a limpiar el organismo de toxinas. Todos estos beneficios revierten positivamente en los tratamientos adelgazantes.
● También se utiliza en la composición de perfumes y aceites de baño para la mujer.

¿Sabías que...?
● *Antiguamente se decía que si una mujer tomaba regularmente semillas de coriandro podía dejar de menstruar y quedar embarazada de inmediato.*

Advertencia

● *Como en la mayoría de los aceites esenciales, desaconsejamos encarecidamente el uso interno del mismo, ya que podría resultar altamente tóxico. En cambio, su uso externo no es irritante, ni sensibilizante, ni tóxico, aunque conviene que sea prescrito por un aromaterapeuta.*

Propiedades terapéuticas del aceite esencial

- Afrodisíaco
- Antiespasmódico
- Antiparasitario externo
- Antirreumático
- Antiséptico
- Antitóxico
- Astringente
- Carminativo
- Cicatrizante
- Depurativo
- Diurético
- Emenagogo
- Estomacal
- Nérveo
- Rubefaciente
- Sedante
- Sudorífico
- Tónico
- Vulnerario

Enebro

Descripción general

Este arbusto perenne que da continuamente bayas crece en todo el hemisferio norte, aunque su aceite esencial mejora cuanto más al sur se encuentra la planta. Sus hojas son cortas y puntiagudas y se apiñan en espirales de tres.

Son árboles unisexuales o diódicos, es decir, hay miembros masculinos y femeninos. Las flores crecen en ambos, pero las bayas fructifican en los femeninos. Son de color verde y, al madurar, se vuelven de color negro. El aceite se extrae por destilación al vapor de estas bayas y es de textura fluida, color transparente con algún brillo amarillo-verdoso y un aroma que recuerda al pino.

Nombre latino:
Juniperus communis
Familia:
Cupresáceas

Principales componentes químicos

● Alfa-pineno, borneol, cadineno, camfeno, cariofileno, alcanfor, isoborneol, juniperina, alcohol terpénico y terpineol.

¿Sabías que...?
● *En 1870 se quemaba madera de enebro en los hospitales franceses para combatir la epidemia de viruela. Pero su uso a través de la historia se inicia en los tiempos prehistóricos, pasando por egipcios, griegos, romanos, Edad Media y Renacimiento, hasta llegar a la época contemporánea.*

Advertencia
● *Nunca debes utilizar este aceite si estás embarazada porque estimula el músculo uterino y podría provocarte un aborto.* ● *No conviene utilizarlo tampoco si padeces alguna enfermedad del riñón y no es recomendable en niños.*

Aplicaciones terapéuticas

● Acumulación de toxinas, albuminuria, amenorrea, arteriosclerosis, blenorragia, cálculos renales, ciática, cirrosis, cistitis, cólico, dermatitis, diabetes, dismenorrea, dispepsia, eccema, estranguria (micción dolorosa), estrés, flatulencia, gota, gripe, hemorroides, heridas, hidropesía, infecciones del tracto urinario, infecciones pulmonares, leucorrea, lumbago, oliguria (micción escasa), pediculosis (piojos), pielitis crónica, resfriado, reumatismo, tos, trastornos nerviosos.

Aplicaciones cosméticas

● Es un aceite esencial muy útil para tratar las pieles grasas y con problemas de seborrea y acné. También da buenos resultados con la alopecia.
● Por otro lado, como es diurético y elimina toxinas, además de ser rubefaciente y sudorífico, se utiliza en tratamientos para combatir la obesidad y la celulitis. Con su uso se mejora la circulación y se reduce la retención de líquidos.

Eucalipto

Nombre latino:
Eucalyptus globulus y otras especies
Familia:
Mirtáceas

Descripción general

Este árbol originario de Australia, donde se ha utilizado como remedio tradicional desde muy antiguo, está distribuido en la actualidad por todo el mundo y se cuentan más de 600 especies. En aromaterapia, la que se suele destilar para obtener el aceite esencial es la del *Eucalyptus globulus*, aunque se pueden utilizar otra larga decena de especies que tienen principios activos similares.

Es uno de los árboles que más altura alcanza, ya que puede llegar a pasar los cien metros. De la especie que nos ocupa se han conocido ejemplares de 114 m de altura. Sus hojas perennes, ovaladas y oscuras, son las que contienen el aceite esencial, y su corteza rezuma una materia gomosa de olor muy balsámico.

El aceite esencial es muy fluido y se destila de las hojas y las ramas tiernas. El mejor es el que se obtiene de los árboles ya maduros. De color transparente con tonos de amarillo pálido, su aroma es limpio, penetrante, balsámico y muy potente. Es muy útil para un amplio espectro de dolencias físicas, pero también emocionales. Por ejemplo, es muy beneficioso poner unas gotitas de aceite esencial de eucalipto en el quemador de esencias en una estancia en la que acaba de producirse una discusión, ya que contribuye a relajar el ambiente. También calma los ánimos y favorece la concentración.

Principales componentes químicos

● Eucaliptol, citronela, camfeno, eudesmol, felandreno, pineno y varios alcoholes.

Aplicaciones terapéuticas

● Ampollas, artritis reumatoide, asma, bronquitis, cálculos biliares, calma los ánimos, cistitis, diabetes, diarrea, difteria, dispepsia, dolores musculares, enfisema, escarlatina, favorece la concentración, fiebre, fiebre del heno, fiebre tifoidea, gonorrea, gripe, hemorragias, heridas, herpes, infecciones de la garganta, leucorrea, malaria, migrañas, nefritis aguda, neuralgia, pediculosis (piojos), picaduras de insectos, quemaduras, repelente de insectos, resfriado, reumatismo, sabañones, sarampión, sinusitis, tos, tuberculosis, úlceras externas.

¿Sabías que...?

● *Los cirujanos solían limpiar las heridas quirúrgicas con una solución de eucalipto debido a su gran poder antiséptico y antiviral.*
● *También es muy útil para desinfectar la habitación de un enfermo, sobre todo si se trata de una enfermedad contagiosa o infecciosa.*

Advertencia

- *Conviene aplicar este aceite esencial en dilución para evitar posibles irritaciones. No se recomienda su uso interno, ni su aplicación en personas hipertensas o epilépticas.*
- *Sus propiedades balsámicas pueden contrarrestar los efectos de los preparados homeopáticos, por lo que conviene no simultanear ambos tratamientos.*

Aplicaciones cosméticas

- Es eficaz en el tratamiento de cicatrices y quemaduras, además de aclarar los cutis congestionados.

Propiedades terapéuticas del aceite esencial

Analgésico	Antiviral	Estimulante
Antiespasmódico	Bactericida	Expectorante
Antiflogístico	Balsámico	Hipoglicemiante
Antineurálgico	Cicatrizante	Insecticida
Antiparasitario	Depùrativo	Rubefaciente
Antirreumático	Descongestivo	Vermífugo
Antiséptico	Desodorante	Vulnerario
Antitérmico	Diurético	

Geranio

Nombre latino:
*Pelargonium
graveloens*
Familia:
Gerianiáceas

Descripción general

El aceite esencial de geranio es uno de los más importantes y versátiles en aromaterapia.
Esta planta, cultivada en muchos países, no supera los 60 cm de altura y sus hojas son verdes y dentadas. Las flores pueden ser de muchos colores distintos y todo el conjunto de la planta es aromático. Por ello, el aceite esencial, que se obtiene por destilación, se extrae del tallo, las hojas y las flores. También pueden obtenerse un concreto y un absoluto. La tonalidad del aceite esencial es verdosa, aunque muy transparente. Su aroma intenso, floral, dulce y fresco evoca al de la rosa con una leve nota mentolada. Es muy estimulante y levanta el ánimo.

Principales componentes químicos
● Ácido geránico, borneol, citral, citroneol, eugenol, felandreno, geraniol, linalol, metona, mirtenol, pineno, terpineol y sabineno.

¿Sabías que...?
● *La tradición de plantar geranios en los balcones y ventanas de las casas viene de antiguo. Se creía tanto en sus poderes que existía la convicción de que así se protegía el hogar de los malos espíritus.*

Aplicaciones terapéuticas
● Aftas orales, cálculos renales, cáncer uterino, capilares rotos, convalecencia, depresión, dermatitis, diabetes, diarrea, eccema, esterilidad, estomatitis, estrés, fatiga, gastralgia, glositis, hemorragia, hemorroides, heridas, herpes, ictericia, mamas congestionadas, menopausia, neuralgia facial, oftalmia, pediculosis (piojos), pie de atleta, sabañones, síndrome premenstrual, repelente de mosquitos, tensión nerviosa, tiña, úlceras internas y externas.

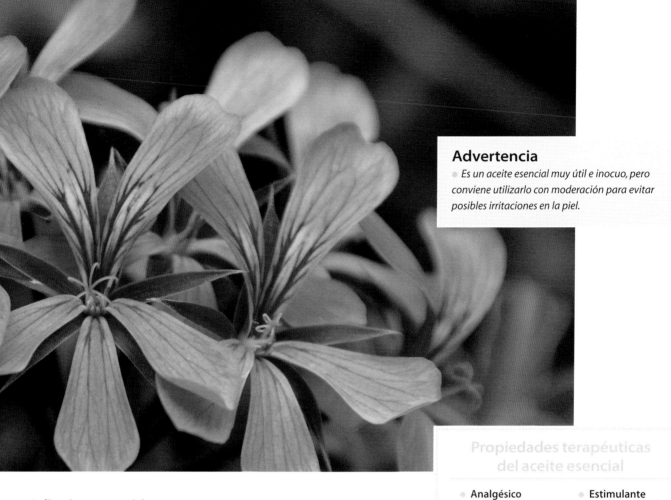

Propiedades terapéuticas del aceite esencial

● Analgésico	● Estimulante suprarrenal
● Anticoagulante	● Hemostático
● Antidepresivo	● Hipoglucémico
● Antiinflamatorio	● Insecticida
● Antiséptico	● Sedante
● Astringente	● Tónico
● Cicatrizante	● Vasoconstrictor
● Citofiláctico	● Vermífugo
● Desodorante	● Vulnerario
● Diurético	

Aplicaciones cosméticas

● Promueve la regeneración celular, por lo que se utiliza en tratamientos de pieles maduras o ajadas. También regula la secreción de sebo en las pieles grasas y el cabello con caspa.

● Otra de sus propiedades es que reactiva la circulación sanguínea, con lo que aporta una nueva vitalidad a los cutis mortecinos.

● También está presente en muchos tratamientos anticelulíticos dado que estimula el sistema linfático y ayuda a eliminar líquidos, además de reactivar la mala circulación. Ideal para tomarse un baño refrescante y revitalizante con agua templada, o del todo relajante si el agua está caliente ya que tiene efecto tónico y sedante sobre el sistema nervioso en función de su uso.

Hinojo

Nombre latino:
*Foeniculum
vulgare*
Familia:
Umbelíferas

Descripción general

Esta planta de color verde oscuro y hojas plumosas puede llegar a alcanzar los 2 m de altura. Su intenso aroma ayuda a identificarla con facilidad, así como sus flores en forma de paraguas de color amarillo.

Es muy común en la cuenca mediterránea y ha estado presente en muchas culturas de todo el mundo y todos los tiempos, tanto en la cocina como en los remedios naturales contra todo tipo de enfermedades.

Su aceite esencial se extrae por destilación de las semillas molidas. Su tono es transparente pero con tonalidades de un amarillo pálido y su aroma es anisado, aromático y picante.

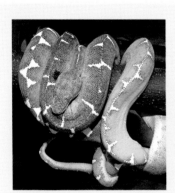

¿Sabías que...?
● *En Asia se atribuía grandes poderes al hinojo. Uno de los más destacados era su capacidad para neutralizar toda clase de venenos, incluidos los de las serpientes. Lejos de allí, en los países anglosajones, era considerada una de las nueve hierbas sagradas para protegerse del Mal.*

Principales componentes químicos
● Anetol, aldehído anísico, camfeno, d-fenchona, dipenteno, estragol, felandreno, fenona y pineno.

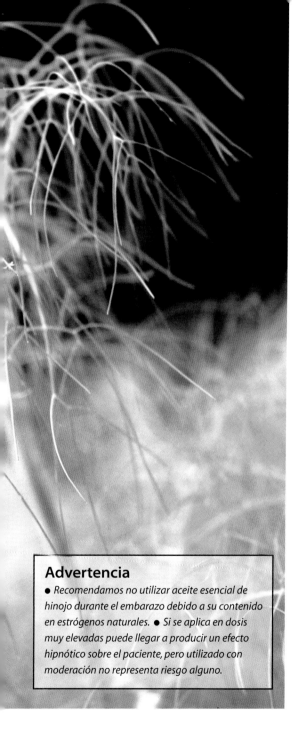

Aplicaciones terapéuticas

● Afecciones pulmonares, alcoholismo, amenorrea, anorexia, antídoto contra venenos, asma, baja autoestima, bronquitis, cálculos renales, cólico, conjuntivitis, dispepsia, escaso flujo de leche materna, estreñimiento, flatulencia, gota, hematomas, hipo, menopausia, náuseas, obesidad, oliguria (micción escasa), piorrea, retención de líquidos, tensión nerviosa, vómitos.

Aplicaciones cosméticas

● Su contenido en estrógenos naturales lo convierte en un gran aliado de la mujer durante el síndrome premenstrual y la menopausia, pero también para perder peso ya que contribuye a regular el metabolismo y depurar el organismo. De hecho, los griegos ya conocían su poder como adelgazante.

Advertencia

● *Recomendamos no utilizar aceite esencial de hinojo durante el embarazo debido a su contenido en estrógenos naturales.* ● *Si se aplica en dosis muy elevadas puede llegar a producir un efecto hipnótico sobre el paciente, pero utilizado con moderación no representa riesgo alguno.*

Propiedades terapéuticas del aceite esencial

● Antiespasmódico	● Depurativo	● Estomacal
● Antiflogístico	● Desintoxicante	● Expectorante
● Antiinflamatorio	● Diurético	● Galactogogo
● Antimicrobiano	● Emenagogo	● Laxante
● Antiséptico	● Esplenético	● Sudorífico
● Aperitivo	● Estimulante	● Tónico
● Carminativo	circulatorio	● Vermífugo

Hisopo

Nombre latino:
*Hyssopus
officinalis*
Familia:
Labiadas

Descripción general

Se trata de una planta arbustiva que no supera los 60 cm de altura. Es originaria del sur de Europa, pero ahora crece y se cultiva en todo el mundo.

Sus hojas son estrechas y de color verde oscuro, y sus flores, azules, blancas o rosas son muy aromáticas, por lo que suelen ser manjar predilecto para mariposas y abejas.

El aceite esencial se extrae por destilación de las hojas y las flores. De tonalidad amarilla dorada, su olor es muy característico y, aunque evoca muchos otros aromas florales, lo cierto es que no se parece a ningún otro.

Principales componentes químicos
- Pinocamfona, alcohol, geraniol, borneol, tuyona y felandreno.

¿Sabías que...?

- *En los ritos paganos de la antigüedad se purificaba a los fieles con aspersiones de agua realizadas con ramitas de hisopo, y el Antiguo Testamento dice que era una de las hierbas amargas que debían comerse durante el rito pascual.*

Propiedades terapéuticas del aceite esencial

- Antiespasmódico
- Antiviral
- Antiséptico
- Astringente
- Bactericida
- Carminativo
- Cefálico
- Cicatrizante
- Digestivo
- Diurético
- Emenagogo
- Equilibra la presión arterial
- Expectorante
- Febrífugo
- Nérveo
- Sedante
- Sudorífico
- Tónico cardiaco
- Tónico pulmonar
- Vermífugo
- Vulnerario

Aplicaciones terapéuticas

- Amenorrea, amigdalitis, ansiedad, asma, bronquitis, cálculos urinarios, cólico, contusiones, dermatitis, disnea, dispepsia, eccema, escrófula, estrés, fatiga nerviosa, fiebre, flatulencia, gripe, heridas, hipertensión, hipotensión, histeria, inapetencia, leucorrea, otitis, resfriado, reumatismo, sifílide, tensión nerviosa, tos, tos ferina, tuberculosis.

Aplicaciones comséticas

- Es uno de los aceites más empleados en la fabricación de jabones.

Incienso (u olibano)

Nombre latino:
Boswellia carteri
Familia:
Burseráceas

Descripción general

El incienso es una oleorresina que desprende la corteza del arbusto homónimo y que ha sido utilizado por incontables culturas desde hace más de cinco milenios para multitud de dolencias y como inspirador espiritual.

También recibe el nombre de «olibano», que en latín significaba 'aceite del Líbano'. El arbusto, originario de África y Oriente Medio, es pariente del árbol que produce otra oleorresina, la mirra.

El incienso llegó a tener un valor equivalente al oro y todavía se emplea como materia de ofrenda en las misas católicas, evocando aquel regalo que los Reyes Magos hicieron a Jesús en su nacimiento. El aceite esencial no se extrae de las hojas ni de las flores de este arbusto, sino exclusivamente de la oleorresina que rezuma su corteza.

¿Sabías que...?

● *Si padeces asma, te resultará de gran utilidad inhalar unas gotas de aceite esencial de incienso en un pañuelo ya que descongestiona las vías respiratorias. Además, su poder relajante te ayudará durante las crisis asmáticas y te conducirá a una respiración calmada y acompasada.*

Su tonalidad, muy pálida, puede ser amarillenta o verdosa. Su aroma, intenso y de nota baja, evoca al limón, pero es mucho más cálido y sensual.

Principales componentes químicos
● Alcohol acetónico (olibanol), materias resinosas, camfeno, dipenteno alfa-pineno, beta-pineno y felandreno.

Advertencia

● *Es un aceite esencial que no irrita ni sensibiliza la piel y, además, es un excelente vehículo para la meditación y la plegaria debido a su contenido en principios activos que intensifican la consciencia espiritual.*

Aplicaciones cosméticas

● Sus propiedades astringentes lo convierten en un gran aliado de los cutis grasos, pero también da excelentes resultados en las pieles maduras y secas, con problemas de arrugas, porque tiene un doble efecto tónico y regenerador.

● Además, ayuda a aclarar las manchas faciales y a cicatrizar las lesiones producidas por el acné.

Aplicaciones terapéuticas

● Ansiedad, asma, bronquitis, carbunco o ántrax maligno, cistitis, dermatitis, dismenorrea, dispepsia, escrófula, espermatorrea, estrés, gonorrea, gota, gripe, hemorragia, heridas, hiperventilación, laringitis, leucorrea, metrorragia, resfriado, tensión nerviosa, tos, úlceras.

Propiedades terapéuticas del aceite esencial

● Antiséptico	● Digestivo
● Antiinflamatorio	● Diurético
● Astringente	● Emenagogo
● Carminativo	● Expectorante
● Cicatrizante	● Sedante
● Citofiláctico	● Tónico
● Descongestionante	● Vulnerario

Jazmín

Nombre latino:
Jasminum officinale
Familia:
Oleáceas

Descripción general

El aceite esencial de jazmín es uno de los más caros que existen y actúa, sobre todo, a nivel emocional, por lo que resulta de gran utilidad para superar problemas psicológicos y psicosomáticos.

Se extrae de las flores de una planta arbustiva y trepadora que se cultiva en toda la cuenca mediterránea y en China. Sus hojas son de un verde brillante y las flores, que pueden ser blancas o amarillas, tienen forma de estrella y desprenden su penetrante aroma sólo por la noche.

El aceite esencial se extrae con disolventes volátiles, aunque antiguamente se utilizaba el método de enflorado, ya que no se podía someter la flor a las altas temperaturas de la destilación al vapor. Después, puede extraerse un concreto y un absoluto por destilación.

Como el proceso es muy delicado y precisa de una enorme cantidad de materia prima, el aceite esencial de jazmín es muy caro. La tonalidad del absoluto es de un naranja oscuro, con una consistencia líquida pero algo viscosa. El perfume, por supuesto, es dulce, denso, persistente, exótico y muy floral.

Principales componentes químicos
● Acetato de bencilo, acetato de linaliloalcohol bencílico, alfa-terpineol, antranilato de metilo, geraniol, indol, jasmona y linalol.

Aplicaciones terapéuticas
● Afonía, ansiedad, depresión, dismenorrea, escalofríos nerviosos, espasmos musculares, estrés, fatiga nerviosa, frigidez, impotencia, laringitis, resfriado, tos, trastornos uterinos.

Aplicaciones cosméticas
● Es muy apropiado para las pieles sensibles e irritadas, aunque también se recomienda en cutis secos por su acción emoliente y en los grasos, por sus virtudes antisépticas.

¿Sabías que...?
● *El aceite esencial de jazmín ayuda a recuperar la confianza en uno mismo porque ejerce un efecto estimulante que lleva al optimismo, la energía y la vitalidad. Aplícatelo en un masaje con la ayuda de un aceite portador. Si quieres potenciar este efecto, combina el jazmín con bergamota, geranio o sándalo.*

Advertencia

● *Si estás embarazada conviene que sepas que el aceite esencial de jazmín es un potente instrumento para aliviar los dolores del parto y superar la depresión posparto. Sin embargo, no lo utilices hasta que hayan empezado las contracciones porque podría provocarte un parto prematuro.*

Propiedades terapéuticas del aceite esencial

● Afrodisíaco	● Expectorante
● Analgésico suave	● Carminativo
● Antidepresivo	● Cicatrizante
● Antiespasmódico	● Galactagogo
● Antiinflamatorio	● Obstétrico
● Antiséptico	● Sedante
● Emoliente	● Tónico uterino

Jengibre

Nombre latino:
Zingiber officinale
Familia:
Zinziberáceas

Descripción general

El rizoma antropomórfico de esta planta perenne es de una importancia capital en la medicina tradicional china, que lo utiliza con mucha frecuencia y para numerosas dolencias. Se le han atribuido infinitas virtudes, entre las que destacan sus beneficios digestivos, sin olvidar su legendaria condición de afrodisíaco y secreto de longevidad.

En aromaterapia también son muchas las aplicaciones de su aceite esencial, su absoluto y su resinoide, que son las tres sustancias que se extraen de su rizoma por destilación al vapor.

De aroma intenso, cálido y fresco a la vez, picante pero agradable, el aceite esencial tiene una tonalidad que puede ir del amarillo al verde pálido, pasando por el ámbar.

Propiedades terapéuticas del aceite esencial

- Afrodisíaco
- Analgésico
- Antiemético
- Antiescorbútico
- Antiespasmódico
- Antioxidante
- Antiséptico
- Antitérmico
- Antitusígeno
- Aperitivo
- Carminativo
- Cefálico
- Estimulante
- Estomacal
- Euforizante
- Expectorante
- Laxante
- Rubefaciente
- Sudorífico
- Tónico

Advertencia

- *Es algo fototóxico, así que no te conviene tomar el sol después de aplicártelo.*

Principales componentes químicos

- Camfeno, citral, cineol, d-felandreno, isoborneol, limonenolinalol, resinas y zingibereno,.

Aplicaciones terapéuticas

- Angina de pecho, artritis, colesterol, dispepsia, dolor de espalda, dolor de garganta, dolor de muelas, edema, esguinces, espasmos musculares, fiebre, hematomas, inapetencia, malaria, mareo por movimiento, náuseas, resfriados, reumatismo, sabañones, sinusitis, torceduras.

¿Sabías que...?

- *Oler unas gotas de aceite esencial de jengibre en un pañuelo por las mañanas antes de levantarse de la cama ayuda a superar a las embarazadas las náuseas matutinas tan propias de los primeros meses de gestación.*

Laurel

Nombre latino:
Laurus nobilis
Familia:
Lauráceas

Descripción general

Este arbusto, que puede llegar a tener la altura de un árbol, ha sido considerado desde las culturas clásicas como símbolo de elegancia y triunfo. Pero también se le han reconocido numerosas propiedades culinarias y terapéuticas.

Originario de Asia Menor, es un arbusto de corteza lisa de color gris y hoja perenne, alargada y resistente de color verde oscuro. Las plantas son unisexuales y los arbustos femeninos son los que dan fruto. En la actualidad se cultiva en todas partes y es una planta cuyas hojas se utilizan de forma habitual en muchas cocinas, sobre todo en la mediterránea.

También da buenos resultados a nivel emocional, ya que da energía al cuerpo y al alma, y potencia la autoestima. Su aceite esencial, que se destila de las hojas, tiene una tonalidad amarilla verdosa y su agradable olor evoca al del cajeput.

¿Sabías que...?
Su nombre griego recuerda a la ninfa *Dafne, que pidió a Zeus que la convirtiera en laurel para salvarla de la persecución de Apolo. Desde entonces, fue considerada la planta de los dioses.*

Apollo y Daphne (1681) de Carlo Maratti.

Propiedades terapéuticas del aceite esencial

- Analgésico
- Anticoagulante
- Antiespasmódico
- Antiinfeccioso
- Antiviral
- Bactericida
- Carminativo
- Diurético
- Emenagogo
- Expectorante
- Fungicida
- Mucolítico
- Sudorífico
- Vasoconstrictor

Principales componentes químicos
Cineol, linalol, alfa-pineno, eugenol, geraniol, felandreno, sesquiterpeno y alcohol sesquiterpénico.

Aplicaciones terapéuticas
Afonía, artritis, asma, bronquitis, bursitis, dispepsia, fiebre, flatulencia, gripe, hemorroides, infecciones víricas, pediculosis (piojos), sarna, reumatismo, tortícolis, trastornos menstruales.

Aplicaciones cosméticas
Está muy indicado en casos de cutis grasos o con problemas de ancé, y en cueros cabelludos grasos que presenten alopecia. Desde antiguo, se utilizaba un tónico capilar a base de laurel para favorecer el crecimiento del pelo. Y también se utilizaba para reforzar las pestañas y promover que nacieran nuevas.

Advertencia

● *No debes confundir el* Laurus nobilis *con el* Prunus laurocerasus. *El primero es el laurel auténtico y el segundo es un cerezo ornamental que, en ocasiones, recibe el nombre de «laurel común». Sin embargo, el que tiene propiedades terapéuticas y cosméticas es el primero, y el* Prunus *puede ser venenoso debido al ácido prúsico que contienen sus hojas en pequeñas cantidades.*

Lavanda (o espliego)

Descripción general

La lavanda crece, sobre todo, en la cuenca mediterránea, y es una planta perenne de hojas estrechas y largas de un verde plateado. Las flores van del malva intenso al azul grisáceo y nacen en la parte superior de unos tallos largos que crecen del centro de la planta. Su aroma se esconde en pequeñas glándulas ubicadas en pelitos repartidos por las hojas, flores y tallos. Con sólo tocar la planta ya se libera, aunque se evapora pronto porque es muy volátil.

El aceite esencial se extrae de sus flores con el procedimiento de destilación al vapor.

Como en cualquier aceite esencial de flores, se necesita una gran cantidad de materia prima. En este caso, se obtiene un aroma muy intenso y un color que va del amarillo oscuro al amarillo verdoso oscuro. Es un aceite esencial que contiene muchísimos principios activos y su propiedad

Nombre latino:
Lavandula officinalis o *Lavandula angustifolia*
Familia:
Labiadas

más destacada es la capacidad de restaurar el equilibrio a todos los sistemas del organismo, lo que lo convierte en protagonista de muchas preparaciones de aromaterapia. El quimiotipo del aceite puede variar en función del lugar del que procede la lavanda. En este sentido, la de más calidad es la francesa, ya que tiene un alto contenido en acetato de linalil que le da un aroma floral, afrutado, rosáceo y dulce. Esta planta recibe el sobrenombre de «reina de la Provenza» porque Francia, y concretamente esta región, es la mayor productora de lavanda cultivada.

¿Sabías que...?

● *La lavanda también resulta muy útil para combatir y ahuyentar a las polillas de tu ropero. Con ello consigues darle a tu ropa protección y un agradable aroma. Era una de las formas más comunes de perfumar los armarios antiguamente. Además, es un buen remedio para limpiar de parásitos de tu perro o de tu gato.*

Advertencia

● *Aunque es un aceite esencial de amplísimas aplicaciones, es muy suave y puedes aplicártelo durante el embarazo sin problemas. También puedes aplicárselo a tus hijos.*

Principales componentes químicos

● Borneol, geraniol, lavandulol, linalol, geranil, linalil, lavandulil, cineol, cariofileno, pineno, limoneno y fenol.

Aplicaciones terapéuticas

● Abscesos, alopecia circunscrita, anemia, ansiedad, artritis, asma, blefaritis, blenorragia, bronquitis, cálculos biliares, carbuncos, cefalea, cistitis, clorosis, cólico, conjuntivitis, convulsiones, depresión, dermatitis, desvanecimiento, diarrea, difteria, dispepsia, eccema, edema, epilepsia, escrófula, estrés, fatiga, fiebre del heno, fiebre tifoidea, fístula, flatulencia, forúnculos, gonorrea, gota, gripe, halitosis, hematomas, heridas, herpes, hipertensión, histeria, infecciones de garganta, insolación, insomnio, ira, laringitis, leucorrea, menopausia, migraña, náuseas, neurastenia, oliguria (micción escasa), otitis, palpitaciones, parálisis, pediculosis (piojos), picaduras de insectos, pie de atleta, psoriasis, quemaduras, resfriado, reumatismo, sabañones, sarna, tensión nerviosa, tos, tos ferina, tuberculosis, úlceras cutáneas, úlceras oculares, urticaria y vómitos.

Propiedades terapéuticas del aceite esencial

● Analgésico
● Anticonvulsivo
● Antidepresivo
● Antiespasmódico
● Antiflogístico
● Antimicrobiano
● Antiparasitario
● Antirreumático
● Antiséptico
● Antitóxico
● Carminativo
● Cicatrizante
● Citofiláctico
● Colagogo
● Colerético
● Descongestivo
● Desodorante
● Desintoxicante
● Diurético
● Emenagogo
● Esplenético
● Fungicida
● Hipotensor
● Insecticida
● Nervino
● Reconstituyente
● Rubefaciente
● Sedante
● Tónico
● Vulnerario

Aplicaciones cosméticas

● La lavanda es un gran comodín en cosmética porque relaja, tonifica, aumenta la elasticidad de los tejidos, ayuda a cicatrizar y a regenerar las células, descongestiona las pieles cansadas y repara las sensibles o alérgicas.

● Como estimula el desarrollo celular y regula el exceso de grasa, también resulta útil en los tratamientos para combatir la celulitis.

● Por ese mismo motivo, está muy recomendado en casos de acné, pieles grasas o caspa. Además también da buenos resultados en las alopecias producidas por estrés.

● Su gran poder relajante la convierte en una potente aliada para enfrentarse a los estragos que el estrés hace en nuestro organismo y en nuestra piel. Un baño caliente con unas gotas de aceite esencial de lavanda al final del día puede obrar casi milagros.

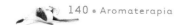

Lemongrass

Descripción general

Nombre latino:
*Cymbopogon
citratus*
y *Cymbopogon
flexuosus*
Familia:
Poáceas
(Gramíneas)

Esta planta, de la que la India fue el principal productor hasta mediados del siglo pasado, es una hierba de hojas largas de color verde y rojo, muy aromáticas. Crece con mucha rapidez y agota pronto los recursos nutricionales del suelo, ya que esta planta tropical puede llegar a alcanzar sin problemas los 2 m de altura.

Su aceite esencial se obtiene de las hojas por destilación al vapor. Es de un amarillo pálido y un intenso olor herbáceo y a limón, de ahí su nombre (en inglés, significa «hierba de limón»).

Como tiene un gran poder antiséptico es muy útil para purificar la atmósfera de una habitación en la que convalezca o haya convalecido un enfermo infecciosos, ya que evita los contagios producidos por las bacterias que se hayan suspendidas en el aire.

Principales componentes químicos
● Ambas variedades contienen citral, neral y geranial.
● *Cymbopogon citratus*:
Caprílicos, citronelol, depenteno, farnesol, furfurol, geraniol, isopulegol, aldehído isovaleriánico, l-linalol, metilheptenona, mirceno, aldehído n-decílico, nerol, terpineol y ésteres valéricos.
● *Cymbopogon flexuosus*:
Citronelol, dipenteno, farnesol, geraniol, limoneno, linalol, metilheptenol, mirceno, aldehído n-decílico y nerol.

Aplicaciones terapéuticas
● Apatía, cefalea, cólera, colitis, convalecencia, dermatitis, desánimo, digestión lenta por estrés, dolor de garganta, eccema, estrés, fatiga nerviosa, fiebre alta, flemones, gastroenteritis, gota, indigestión, infecciones, jet lag, lactancia, laringitis, pequeñas infecciones, pediculosis (piojos), pie de atleta, previene el desarrollo de tumores, repelente de insectos, repelente de polillas, repelente de parásitos de mascotas, sabañones, sudoración excesiva, varices.

¿Sabías que...?
● *El lemongrass está muy presente desde hace milenios en la cocina tailandesa y en la medicina tradicional hindú. Por este último factor recibe también el nombre de «aceite de melisa india» o «verbena india».*

Propiedades terapéuticas del aceite esencial

- Analgésico
- Antidepresivo
- Antimicrobiano
- Antioxidante
- Antipirético
- Antiséptico
- Antitérmico
- Astringente
- Bactericida
- Carminativo
- Desodorante
- Digestivo
- Diurético
- Estimulante
- Fungicida
- Galactagogo
- Insecticida
- Nervino
- Profiláctico
- Sedante

Advertencia

- *Este aceite esencial puede llegar a producir irritación en una piel muy sensible, por lo que conviene hacer primero una prueba en una zona pequeña.*

Aplicaciones cosméticas

- El aceite esencial de lemongrass tonifica la piel, por lo que suele estar presente en los tratamientos que combaten la flacidez cutánea provocada por una pérdida acusada de peso.
- Además, regula el exceso de grasa en los cutis y cabellos grasos y los poros abiertos. También ayuda a controlar la sudoración excesiva, por lo que es un buen desodorante.

Lima

Descripción general

El árbol de la lima no supera los 5 m de altura y tiene la hoja perenne y verde brillante. Su flor es pequeña y blanca, y da origen a la lima, que es un fruto verde brillante con la forma de un limón pequeño. Su sabor amargo es muy rico en vitamina C y los navegantes españoles y portugueses la llevaban siempre a bordo para evitar contraer el temido escorbuto.

Como se trata de un cítrico la esencia se extrae de la cáscara por el método de expresión en frío. Su color es amarillo o verde muy pálido y su aroma es fresco, dulce e intenso, y recuerda con fuerza al olor particular de este fruto.

Nombre latino:
Citrus aurantifolia
Familia:
Rutáceas

Principales componentes químicos

- Linalol, terpineol, citral, acetato de linalil, bergapteno, limoneno, pineno, sabineno y terpinoleno.

Propiedades terapéuticas del aceite esencial

- Analgésico
- Antidepresivo
- Antiescorbútico
- Antimicrobiano
- Antioxidante
- Antipirético
- Antirreumático
- Antiséptico
- Antitérmico
- Antiviral
- Aperitivo
- Astringente
- Bactericida
- Carminativo
- Desinfectante
- Desodorante
- Galactagogo
- Hemostático
- Insecticida
- Reconstituyente
- Sedante nervioso
- Tónico

Aplicaciones terapéuticas

- Acidez estomacal, aftas orales, alcoholismo, amigdalitis, anemia, ansiedad, apatía, asma, bronquitis, convalecencia, depresión, escorbuto, fatiga mental, fiebre, forúnculos, heridas (pequeña hemorragia), herpes, hipertensión, indigestión, mala circulación, náuseas, picaduras de insecto, resfriado, reumatismo, sinusitis, tos y varices.

Aplicaciones cosméticas

- Las pieles grasas o con problemas de acné se regulan y tonifican notablemente con la esencia de lima. Resulta muy beneficiosa para fortalecer las uñas quebradizas. Suele incorporarse en los tratamientos para la celulitis y el exceso de peso.

¿Sabías que...?

- *La lima es originaria de Asia y los árabes la trajeron a España. Después, fueron los navegantes portugueses y españoles del siglo XVI los que la introdujeron en América, donde se cultiva especialmente en Estados Unidos y en México.*

Advertencia

● *Como se trata de una esencia, tiene propiedades fototóxicas y puede provocarte manchas en la piel si tomas el sol después de haberte aplicado un aceite de masaje que contenga lima. Utiliza esta esencia con moderación porque puede irritarte la piel si la tienes muy sensible.*

Limón

Descripción general

El limonero es un árbol frutal de hoja perenne perfumada de color verde brillante, flores rosas y blancas y frutos ovalados de un amarillo vivo y penetrante aroma ácido.

Este cítrico ya estaba presente en culturas como la egipcia o la persa, así como la griega y la romana. En la actualidad existen una gran cantidad de variedades y son varios los quimiotipos que se pueden encontrar en aromaterapia.

El aceite esencial se obtiene por expresión (también denominado «estrujado») de su cáscara, como ocurre con todos los cítricos.

En realidad es una esencia, porque no ha sufrido ninguna alteración por temperatura o disolventes, como pasa con otros métodos de extracción. Debido a ello, constituye una fuente importante de vitamina C y otros beneficiosos principios activos, aunque su tiempo de caduci-

Nombre latino:
Citrus limon
Familia:
Rutáceas

dad es más breve. Su color puede variar de la tonalidad amarilla hasta incluso verde y su aroma es muy intenso, pero fresco y agradable.

Principales componentes químicos

● Linalol, citral, citronelol, cadineno, bisaboleno, camfeno, dipenteno, limoneno, felandreno, pineno, bergamotina, limetina, diosmina y limotricina.

¿Sabías que...?

● *Hasta hace bien poco, en Francia consideraban al aceite esencial de limón un «curalotodo» y se utilizaba para tratar numerosas afecciones. Además, los hospitales galos lo utilizaron como antiséptico y desinfectante hasta la Primera Guerra Mundial.*

Advertencia

● *Como es un producto muy natural tiene una corta vida, así que es muy importante comprobar su fecha de caducidad.*
Si te aplicas aceite esencial de limón en mal estado puedes tener reacciones alérgicas graves y, por ende, no te reportaría ningún beneficio terapéutico ni cosmético.
● *Además, es algo fototóxico, por lo que no conviene que te expongas al sol después de aplicártelo.*

Aplicaciones cosméticas

● El aceite esencial de limón tiene muchas aplicaciones en cosmética, sobre todo para limpiar y aclarar. Por eso se utiliza mucho en cutis grasos, con manchas o con problemas de acné, y en todo tipo de pieles para limpiarlas en profundidad y eliminar las células muertas.

● También se aplica al cuero cabelludo para tratar la caspa.

● Además, se emplea en tratamientos para combatir la obesidad por sus propiedades laxantes y depurativas, y porque favorece la microcirculación, con lo que evita la formación de celulitis. Es un buen remedio para tratar las uñas quebradizas.

Aplicaciones terapéuticas

● Acidez de estómago, anemia, ansiedad, apatía, arteriosclerosis, artritis, bronquitis, callos, conjuntivitis, depresión, digestión lenta, dispepsia, envenenamiento, escorbuto, estreñimiento, estrés, fiebre, gota, hemorragia nasal, hipertensión, incremento de la concentración, malaria, mala circulación, potencia las defensas, psoriasis, repelente de insectos, resfriado, reumatismo, síndrome premenstrual, tifus, tos, úlceras, varices, verrugas.

Propiedades terapéuticas del aceite esencial

● Antianémico	● Antitóxico	● Estimulante
● Antiesclerótico	● Antiverrugas	● Estomacal
● Antiescorbútico	● Astringente	● Hemostático
● Antiespasmódico	● Bactericida	● Hepático
● Antimicrobiano	● Carminativo	● Hipoglucémico
● Antineurálgico	● Cicatrizante	● Hipotensor
● Antiprurítico	● Depurativo	● Insecticida
● Antirreumático	● Diaforético	● Laxante
● Antiséptico	● Diurético	● Rubefaciente
● Antitérmico	● Emoliente	● Tónico

Advertencia

● *El aceite esencial de mandarina es fototóxico, así que recuerda no aplicarlo sobre la piel si vas a tomar el sol.*

Mandarina

Nombre latino:
Citrus reticulata
Familia:
Rutáceas

Descripción general

Este árbol frutal comparte familia con el naranjo, pero sus hojas y su fruto son de menor tamaño y su aroma es más dulce y delicado. Además, su piel no se adhiere al fruto, cuyos gajos están apenas unidos entre sí.

Crece muy bien en climas cálidos, sobre todo en los de tipo mediterráneo. Su aceite esencial es, en realidad, una esencia, como en el caso de todos los cítricos, ya que se extrae de su corteza por el método de expresión y no sufre ninguna alteración. Es de un suave color amarillo anaranjado y su aroma es casi floral, pero recuerda su origen cítrico. Es una esencia que se estropea enseguida, por lo que debes poner especial atención a la hora de adquirirla.

Principales componentes químicos

● Limoneno, geraniol, citral, citronelol y metilantranilato.

Propiedades terapéuticas del aceite esencial

● Antiespasmódico
● Antiséptico
● Carminativo
● Citofiláctico
● Colagogo
● Digestivo
● Diurético suave
● Emoliente
● Estimulante linfático
● Laxante suave
● Sedante
● Tónico digestivo

Aplicaciones terapéuticas

● Ansiedad, depresión, desasosiego, dispepsia, edema, estreñimiento, estrés, fatiga hepática, heridas, hipo, inapetencia, indigestión, insomnio, irritabilidad, retención de líquidos, síndrome premenstrual, tensión nerviosa.

Aplicaciones cosméticas

● Se utiliza mucho para el cuidado de la piel congestionada y grasa, con manchas, estrías o granitos.
● Además, también resulta beneficioso en los tratamientos para combatir la obesidad porque ayuda a eliminar líquidos y es un poco laxante.

¿Sabías que...?

● *Esta fruta se ofrecía como presente a los mandarines en la antigua China como símbolo de respeto, y de ahí proviene su nombre. No se introdujo en Europa hasta principios del siglo XIX.*

Manzanilla alemana (o común) y romana

Nombre latino:
Matricaria chamomilla y *Anthemis nobilis*
Familia:
Compuestas

Descripción general

Son muchas las especies de manzanillas que crecen en Europa, África y Asia, pero la aromaterapia suele trabajar siempre con la manzanilla alemana o común y la manzanilla romana o noble.

Aunque sus quimiotipos difieren levemente, lo cierto es que se utilizan para prácticamente las mismas aplicaciones terapéuticas y ése es el motivo de agruparlas en este apartado. Se pueden encontrar de uno u otro tipo (o incluso ambos) en todos los distribuidores de aceites esenciales sin ningún problema, ya que es un recurso que la aromaterapia utiliza muy a menudo para afecciones físicas, psíquicas o emocionales y tratamientos cosméticos.

También se la conoce con el nombre de «camomila», y forma parte de la medicina tradicional de muchas culturas. La manzanilla crece en climas templados y es una planta con tallos peludos y

hojas divididas. Su flor se parece mucho a la margarita, no en vano son de la misma familia. Es también un botón central amarillo, pero con pétalos blancos menudos y un aroma muy diferente, intenso y afrutado que recuerda a la manzana.

El aceite esencial se obtiene por destilación de las flores secas. Su color puede ir desde una tonalidad azulada pálida a un profundo azul en los casos donde existe una mayor cantidad de azuleno, un potente principio activo antiinflamatorio. Cuanto más contiene, más viscosa es la textura y más rico el aceite esencial en propiedades terapéuticas.

¿Sabías que...?

● *La manzanilla romana es un remedio de la medicina tradicional europea desde hace sólo cinco siglos. Se le atribuye este nombre porque se cree que se cultivó en Roma desde el Renacimiento, dado que esta planta no crece de forma espontánea ni en Italia ni en el litoral mediterráneo francés.*

Principales componentes químicos

● Azuleno (no está en la planta, pero se forma en el proceso de extracción del aceite esencial), angélica, borneol, geraniol, alfa-bisabolol, furfural, metracrílico, alcohol sexquiterpénico, ácido caprílico y ácido monílico.

Aplicaciones terapéuticas

● Alergia, amenorrea, anemia, artritis, asma por estrés, bursitis, cálculos urinarios, cefalea, cistitis, cólico, colitis, conjuntivitis, convulsiones, dentición con dolor (niños), depresión, dermatitis inflamatoria, diarrea, dismenorrea, dispepsia, eccema, fatiga hepática, fiebre por estrés, fiebre del heno, flatulencia, forúnculos, gastralgia, gastritis, gingivitis, gota, halitosis, histeria, ictericia, inapetencia, insomnio, ira, irritabilidad, menopausia, migraña, nefritis, neuralgias faciales, otitis, parásitos intestinales, picaduras de insectos, prurito vaginal, quemaduras, reumatismo, sabañones, sinusitis, úlcera gastroduodenal, úlceras externas, urticaria, vaginitis, vértigo, vómitos.

Aplicaciones cosméticas

● El carácter antiinflamatorio del azuleno que contiene el aceite esencial de manzanilla ayuda mucho a las pieles irritadas y sensibles. Además,

Advertencia

● *El aceite esencial de manzanilla puede utilizarse sin problemas en todos los casos y personas, excepto si eres alérgico a esta planta.*

su poder antiséptico da buenos resultados en los casos de acné, abscesos y forúnculos.

● Los cabellos rubios se aclaran más si se utilizan productos cosméticos que contengan este aceite esencial, pero también se emplea para combatir la caspa o los problemas capilares como el eccema seborreico.

Propiedades terapéuticas del aceite esencial

● Analgésico	● Antiséptico	● Estimulante gástrico
● Antiácido	● Aperitivo	● Estimulante inmunológico
● Antialergénico	● Bactericida	● Febrífugo
● Antianémico	● Carminativa	● Sedante nervioso
● Anticonvulsivo	● Cicatrizante	● Sudorífico
● Antidepresivo	● Colagogo	● Tónico
● Antiespasmódico	● Descongestivo	● Tónico digestivo
● Antiflogístico	● Digestivo	● Vasoconstrictor local
● Antiinflamatorio	● Diurético	● Vulnerario
● Antineurálgico	● Emenagogo	
● Antiparasitario	● Esplenético	
● Antirreumático	● Estimulante	

Mejorana

Nombre latino:
Origanum majorana
Familia:
Labiadas

Descripción general

Esta planta de tallos rojizos, hojas ovaladas verde oscuro y pequeñas flores blancas, rosas o malvas es muy olorosa. Se extiende por todo el sur de Europa y el norte de África, aunque es originaria de Asia. En la extracción por destilación del aceite esencial se utilizan sólo las flores, a pesar de que también son muy aromáticos el tallo y las hojas. Al poco de extraerlo es de una tonalidad amarillo verdosa que se va tornando parda a medida que pasa el tiempo. Su olor es muy característico, dulce y picante a la vez, y evoca notas de alcanfor, tomillo, pimienta y cardamomo.

Principales componentes químicos
● Carvacol, timol, borneol, alcanfor, cineol, cimeno, pineno, sabineno y terpineol.

¿Sabías que...?
● *Planta sagrada de dioses como Visnú, Siva y Osiris, era utilizada en los conventos católicos por su carácter anafrodisíaco. Sin embargo, Afrodita la consideraba el símbolo de la fertilidad y las parejas de recién casados helénicas eran coronados con mejorana para que tuvieran fortuna en su matrimonio.*

Aplicaciones terapéuticas
● Ansiedad, artritis, asma, ataque de pánico, bronquitis, bursitis, cefalea, cólico, depresión, deseo sexual, diarrea, dismenorrea, dispepsia, dolores musculares, estreñimiento, estrés, flatulencia, hematomas, hiperactividad, hipertensión, histeria, insomnio, jaqueca, leucorrea, lumbago, mala circulación, mareo, migraña, náuseas, neurastenia, resfriados, sabañones, síndrome premenstrual, sinusitis, tensión nerviosa, tics nerviosos, trastornos menstruales.

Aplicaciones cosméticas

● Ha sido un componente del agua de colonia y se empleaba para perfumar el agua de baño y el rapé.

● En cosmética se utiliza junto a otros aceites esenciales para evitar la aparición de estrías y dar elasticidad a la piel.

Advertencia

● No debes utilizar aceite esencial de mejorana si estás embarazada ni aplicársela a niños pequeños.

Propiedades terapéuticas del aceite esencial

● Anafrodisíaco	● Diurético
● Analgésico	● Emenagogo
● Antiespasmódico	● Expectorante
● Antioxidante	● Fungicida
● Antiséptico	● Hipotensor
● Antiviral	● Laxante
● Carminativo	● Nervino
● Cefálico	● Reconstituyente
● Cordial	● Sedante
● Diaforético	● Vasodilatador
● Digestivo	● Vulnerario

Advertencia

El aceite esencial de melisa regula el ciclo menstrual, por lo que no puedes utilizarlo si estás embarazada, ya que podría provocarte un aborto.

Melisa

Nombre latino:
Melissa officinalis
Familia:
Labiadas

Descripción general

La melisa crece por todo el hemisferio norte, incluso en Siberia, y en la zona templada del hemisferio sur. Esta hierba vivaz también recibe el nombre de «toronjil», y es muy olorosa, con unas hojas dentadas de un verde intenso y unas florecillas que pueden ser blancas, rosas o amarillas.

Su aceite esencial se extrae por destilación de las hojas y las flores, y es de color amarillo pálido, con un aroma a limón fresco, limpio y muy intenso. Se necesita mucha materia prima para poder obtenerlo, por lo que es uno de los más difíciles de encontrar puro y suele ser muy caro.

Principales componentes químicos

- Citral, citronelol, geraniol, acetato de geranil, cariofileno, ácido citronélico, limoneno, linalol y pineno.

¿Sabías que...?

- *La miel de la melisa es una de las más apreciadas y se dice que es la que utilizaron las abejas para alimentar a Zeus cuando era pequeño. «Melittena» quiere decir en griego 'abeja' y la ninfa griega que protege a este insecto se llama, curiosamente, Melisa.*

Propiedades terapéuticas del aceite esencial

- Antidepresivo
- Antiespasmódico
- Antihistamínico
- Bactericida
- Carminativo
- Cordial
- Digestivo
- Emenagogo
- Estimulante
- Estomacal
- Febrífugo
- Fungicida
- Hipotensor
- Nervino
- Sedante
- Sudorífico
- Tónico
- Vermífugo

Aplicaciones terapéuticas

- Abatimiento, alergia, ansiedad, asma, ataque de pánico, cólico, depresión, disentería, eccema, esterilidad femenina, fiebre, hemorragia por herida, hipertensión, histeria, indigestión, insomnio, jaqueca, melancolía, migraña, náuseas, palpitaciones, picaduras de insectos, resfriado, shock, sobreexcitación, tensión nerviosa, tos crónica, trastornos menstruales, tristeza por pérdida, vértigo, vómito.

Aplicaciones cosméticas

- Los tratamientos para cabellos grasos y alopecia que contienen aceite esencial de melisa dan buenos resultados, así como en los casos de eccemas o infección por hongos.

Menta

Descripción general

Son muchas las clases de menta, una planta que se cultiva en muchas partes del mundo, aunque la menta piperita es originaria de la cuenca mediterránea. Es una planta de tallos cuadrados y hojas verdes pareadas con pequeñas flores que van del blanco al púrpura y que crecen en verano. Toda la planta es muy aromática porque las glándulas olorosas están repartidas en el tallo y las hojas. Basta con tocarla para que los dedos y el ambiente se queden impregnados de su fresca e inigualable fragancia.

Nombre latino:
Mentha piperita
Familia:
Labiadas

Su aceite esencial se extrae por destilación de hojas y flores. Recién hecho es transparente y muy fluido, pero el tiempo lo espesa y oscurece.

¿Sabías que...?
● *El nombre de esta planta también hay que buscarlo, como en otros casos, en la mitología griega. Menta era una ninfa que Plutón deseaba sin mesura, así que Perséfone, su celosa mujer, la persiguió hasta atraparla y la pisoteó hasta la muerte. Entonces, su enamorado Plutón la transformó en una aromática planta que desprendía su delicioso olor cada vez que alguien la pisaba o estrujaba.*

Principales componentes químicos
● Mentol, carvona, cineol, limoneno, mentona, pineno, timol y ácido valeriánico.

Aplicaciones terapéuticas
● Aerofagia, aftas orales, asma, bronquitis, cálculos biliares, cefaleas, ciática, cólera, cólico, dermatitis, desvanecimiento, diarrea, dismenorrea, dispepsia, dolor de muelas, dolor muscular, estrés, fatiga mental, fiebre, flatulencia, gastralgia, gingivitis, gripe, halitosis, hematomas, histeria, inapetencia, indigestión, mareo en viajes, migraña, náuseas, neuralgia, palpitaciones, parálisis,

piernas cansadas, prurito, repelente de mosquitos, resfriado, sarna, shock, sinusitis, tiña, trastornos nerviosos, tuberculosis, vértigo, vómitos.

Aplicaciones cosméticas

● El aceite esencial de menta está presente en diversos tratamientos para combatir el acné ya que purifica la sangre debido a sus propiedades antisépticas y bactericidas.

● También se utiliza en champú para cabellos grasos o con caspa, y es un componente habitual de pastas dentríficas, elixires bucales y cremas de masajes para piernas cansadas.

Propiedades terapéuticas del aceite esencial

- Analgésico
- Antiespasmódico
- Antiflogístico
- Antigalactagogo
- Antiséptico
- Antiviral
- Astringente
- Bactericida
- Carminativo
- Cefálico
- Cordial
- Emenagogo
- Estomacal
- Expectorante
- Febrífugo
- Hepático
- Nérveo
- Sudorífico
- Vasoconstrictor
- Vermífugo

Milenrama

Descripción general

La planta de la milenrama tiene numerosas propiedades terapéuticas que se conocen desde muy antiguo y que la han convertido en planta sagrada en muchas culturas, como la china o la griega. Se trata de una hierba de tamaño mediano que crece en casi todo el hemisferio norte en zonas soleadas. Tiene hojas lanceoladas y flores en ramilletes de color blanco rosáceo.

El aceite esencial se extrae precisamente de esas cabezas de flores secas por destilación al vapor. Es de un particular color azul o verde oscuro, muy líquido y con un aroma fresco, dulce, herbáceo y con una leve nota alcanforada.

Nombre latino:
Achillea millefolium
Familia:
Compuestas

Principales componentes químicos
● Borneol, azuleno, cineol, limoneno y pineno.

¿Sabías que...?
● *En la milenaria medicina tradicional china se le atribuye a la milenrama la alta cualidad de representar el equilibrio perfecto, porque es la planta en la que encuentran su unión perfecta el yin y el yang.*

Propiedades terapéuticas del aceite esencial

- Antiespasmódico
- Antiflogístico
- Antiinflamatorio
- Antipirético
- Antirreumático
- Antiséptico
- Antitérmico
- Astringente
- Carminativo
- Cicatrizante
- Colagogo
- Digestivo
- Diurético
- Estimulante
- Estomacal
- Expectorante
- Febrífugo
- Hemostático
- Hipotensor
- Tónico

Aplicaciones terapéuticas
● Amenorrea, arteriosclerosis, artritis reumatoide, bursitis, cicatrices, cistitis, cólico, diarrea, dismenorrea, eccema, enuresis, espasmos musculares (rampas), estreñimiento, estrés, falta de defensas, fibromas, fiebre, flatulencia, gripe, hemorroides, heridas, hipertensión, indigestión, infecciones del tracto urinario, insomnio, jaqueca, quemaduras, resfriado, sabañones, tensión nerviosa, tristeza, trombosis, útero caído, varices.

Aplicaciones cosméticas
● Su potente efecto regulador contribuye a mejorar el aspecto y la salud de los cutis secos y las pieles con problemas de acné o cicatrices. Además, también es un excelente tónico capilar que promueve el crecimiento del cabello.

Advertencia

● No debes aplicar el aceite esencial puro directamente sobre las varices, sabañones u otras zonas afectadas por trastornos circulatorios. Es conveniente que esté siempre diluido en un aceite vegetal portador.

● Además, no es recomendable utilizarlo durante el embarazo y puede causar jaqueca si se abusa de él.

Mirra

Nombre latino:
*Commiphora
myrrha*
Familia:
Burseráceas

Descripción general

Utilizada desde hace más de tres mil años por culturas tan distintas como la china, la griega o la tibetana, la oleorresina de este arbusto ha estado rodeada de un halo de milagro y santidad. En la Biblia, por ejemplo, aparece en el momento de la crucifixión de Cristo y como uno de los presentes que ofrecieron los Reyes Magos al Niño Jesús.

Originario de India, Oriente Medio y el noreste de África, este pequeño árbol que no supera los 10 m de altura tiene unas hojas aromáticas y unas diminutas flores blancas. Sin embargo, sus beneficios provienen del interior de su tronco, de su resina. Es esta oleorresina la que se destila al vapor y de la que se obtiene un aceite esencial ambarino, en ocasiones rojizo, de intenso aroma cálido.

Principales componentes químicos

● Ácido mirrólico, ácido fórmico, ácido acético, ácido palmítico, aldehído cinámico, aldehído cumínico, eugenol, cadineno, dipenteno, heraboleno, limoneno y pineno.

Aplicaciones cosméticas

● En cosmética se utiliza para tratar la piel madura y con arrugas, un método que ya se utilizaba en el Antiguo Egipto. También da buenos resultados en los cutis secos.

Advertencia

● *No debes utilizar este aceite en concentraciones elevadas. Está contraindicado para mujeres embarazadas ya que favorece las contracciones y regula la menstruación.*

Aplicaciones terapéuticas

● Afonía, aftas orales, amenorrea, apatía, artritis, asma, bronquitis, clorosis (anemia por falta de hierro), diarrea, dispepsia, dolor de garganta, eccema, estomatitis, faringitis, flatulencia, gingivitis, hemorroides, heridas, hipertiroidismo, inapetencia, leucorrea, nerviosismo, pie de atleta, piorrea, prurito, psoriasis, pesfriado, peumatismo, piña, tos, ubrera, úlceras cutáneas.

Propiedades terapéuticas del aceite esencial

- Anticatarral
- Antiflogístico
- Antiinflamatorio
- Antimicrobiano
- Antiséptico
- Astringente
- Balsámico
- Carminativo
- Cicatrizante
- Desodorante
- Emenagogo
- Estimulante
- Estomacal
- Expectorante
- Fungicida
- Sedante
- Sudorífico
- Tónico
- Uterino
- Vulnerario

Vetiver

Nombre latino:
*Vetiveria
zizanoides* y
*Andropogon
muricatus*
Familia:
Gramíneas

Descripción general

El nombre de la planta proviene de la India, de donde es originaria, y significa «rastrillar», es decir, limpiar un terreno. En aquel país se cultiva para prevenir que el suelo no se erosione con la llegada de las lluvias. Alta, perenne y aromática, tiene un tallo recto, hojas alargadas y estrechas y unas espigas de color púrpura que se doblan con el soplar del viento.

Su raíz es un rizoma blanquecino, y es del que, una vez seco y desmenuzado, se extrae el aceite esencial por destilación. La industria del perfume también lo somete al método de disolventes volátiles, del que obtiene un resinoide presente en muchas gamas de productos masculinos. El aceite es, al contrario de la mayoría, marrón muy oscuro y de una textura viscosa que desprende una esencia sensual y persistente, con una nota amaderada y terrosa, que evoca a las violetas y al sándalo.

Advertencia

● *Es un aceite caro y debes asegurarte siempre de que sea puro y de origen biológico. En los años setenta se vendieron muchas adulteraciones que le proporcionaron mala fama por sus efectos nocivos en la piel. Si te aseguras bien de su origen, no hay problema en que lo utilices porque no es tóxico, y no irrita ni sensibiliza la piel.*

Propiedades terapéuticas del aceite esencial

● Afrodisíaco
● Antiespasmódico
● Antiséptico
● Depurativo
● Emenagogo
● Estimulante circulatorio e inmunológico
● Nervino
● Repelente de insectos
● Rubefaciente
● Sedante
● Tónico
● Vermífugo

Principales componentes químicos

● Ácido benzóico, vetiverol, furfurol, vetivona y vetiveno.

Aplicaciones terapéuticas

● Agotamiento, amenorrea, ansiedad, artritis, congestión hepática, coronaritis, debilidad, dependencia de tranquilizantes, depresión, dolor muscular, enriquece la sangre, esguinces, espasmos musculares (rampas), fatiga mental, fiebre, heridas, inmunodepresión, insolación, insomnio, insuficiencia pancreática, oligomenorrea, reumatismo, polillas, tensión nerviosa, trauma psíquico grave, urticaria.

Aplicaciones cosméticas

● Su poder antiséptico y estimulante sanguíneo lo hace muy indicado para los tratamientos de pieles grasas o con problemas de acné.

Naranja amarga

Descripción general

El naranjo amargo parece ser el origen de todas las especies de cítricos que conocemos en la actualidad, como la naranja dulce o la mandarina, además del limón, la lima, el pomelo y el resto de los híbridos.

Traídos por los árabes en los lejanos tiempos del Al-Ándalus, son unos árboles que no superan los 10 m de altura, de follaje perenne verde oscuro y flores blancas de las que también se extrae un aceite esencial, el neroli.

La esencia de naranja amarga se extrae por expresión en frío de su cáscara, es de color anaranjado claro y, evidentemente, huele a naranja, con un aroma más intenso que el de la naranja dulce. Sin embargo, como se conserva poco tiempo, enseguida se vuelve pardo y huele muy mal, así que conviene que lo compres en pequeñas cantidades.

Nombre latino:
Citrus aurantium
Familia:
Rutáceas

¿Sabías que...?
● *La variedad de naranja amarga es, fundamentalmente, ornamental. En tiempos del Al-Ándalus, Sevilla y el resto de la zona se convirtieron en un vasto naranjal.*

Propiedades terapéuticas del aceite esencial

● **Antiemético**
● **Antiinfeccioso**
● **Antioxidante**
● **Aperitivo**
● **Cicatrizante**
● **Citofiláctico**
● **Descongestivo**
● **Digestivo**

Advertencia
● *Como el resto de esencias provenientes de cítricos, la de naranja amarga es fototóxica y no conviene exponerse al sol después de su aplicación para evitar sensibilización y manchas en la piel.*

Principales componentes químicos
● Limoneno, citral, citronelol, geraniol, linalol, antranilato de metilo, alcohol nonílico y terpinol.

Aplicaciones terapéuticas
● Anorexia, ansiedad, dispepsia, estrés, flatulencia, fatiga nerviosa, heridas, inapetencia, infecciones cutáneas, insomnio, sinusitis, vómitos.

Aplicaciones cosméticas
● Como promueve la regeneración celular es un gran aliado de las pieles maduras y con arrugas.

Advertencia

● *Como otras esencias provenientes de cítricos, es fotosensibilizante y no conviene tomar el sol después de aplicársela para evitar irritaciones o manchas en la piel.*

● *Este aceite puede utilizarse durante todo el embarazo e incluso se puede aplicar a niños pequeños, aunque siempre diluido en un aceite portador.*

Naranja dulce

Descripción general

Este fruto crece en un árbol de hojas perennes verde brillante y pertenece a una variedad de menor tamaño que el naranjo amargo, otro conocido cítrico que produce un aceite esencial de múltiples aplicaciones.

El fruto tiene una pulpa dulce y las membranas que hay entre los gajos no son amargas.

El aceite esencial es, en realidad, una esencia, ya que se extrae por expresión, es decir, por estrujamiento de la cáscara, y no se somete al efecto del calor ni de los disolventes. Así que es un producto natural que se estropea con facilidad pero que mantiene todos los beneficios del fruto del que proviene. Su color es de un amarillo anaranjado y su fragancia es frutal, dulce e intensa.

Nombre latino:
Citrus sinensis
Familia:
Rutáceas

¿Sabías que...?

Aunque los árabes ya conocían desde hace miles de años las propiedades terapéuticas de los aceites de las naranjas, en Europa no se aprovecharon hasta el Renacimiento. Hasta entonces, la naranja era considerada un lujo y era un regalo muy apreciado en la época navideña.

Propiedades terapéuticas del aceite esencial

- Antidepresivo
- Antiinflamatorio
- Antiséptico
- Bactericida
- Carminativo
- Colerético
- Digestivo
- Estimulante
- Fungicida
- Hipotensor
- Sedante nervioso
- Tónico

Principales componentes químicos

- Limoneno, decanal, cetonas, cumarinas, furocumarinas, alcoholes terpénicos, aldehídos y monoterpenos.

Aplicaciones terapéuticas

- Aftas orales, ansiedad, bronquitis, dermatitis, dispepsia, eccema, espasmos digestivos, estreñimiento, estrés, gripe, palpitaciones, resfriado, retención de líquidos, tensión nerviosa.

Aplicaciones cosméticas

- De gran utilidad en cutis grasos y apagados, sin vida, ya que es muy purificante. Como ayuda a la eliminación de líquidos también se emplea en los tratamientos para combatir la obesidad.
- Es el perfume más habitual de los cítricos porque es muy dulce y afrutado. Está muy indicado para añadirlo a un baño relajante antes de ir a dormir, ya que tiene un agradable efecto sedante.

Neroli (o azahar)

Nombre latino:
Citrus aurantium
Familia:
Rutáceas

Descripción general

El neroli es el nombre que recibe el aceite esencial de la flor de azahar, es decir, de la flor del naranjo amargo. El nombre de la flor de azahar deriva de la palabra árabe «al-azahar», que significa 'flor blanca'. Esta flor se encuentra sobre todo en la costa mediterránea y en otros lugares con clima no excesivamente frío.

El nombre de «neroli» lo debe a la princesa italiana Ana María de Neroli, que lo utilizaba para perfumar su extensa colección de guantes, lo que parece ser que causaba verdaderos estragos entre los hombres que se acercaban a ella.

Estas flores dan lugar a las naranjas amargas, o bordes, de los árboles ornamentales procedentes de China y que se extendieron por el sur de España en tiempos del Al-Ándalus.

En la actualidad, el neroli es muy empleado en perfumería, sobre todo en aquellos perfumes que se comercializan como afrodisíacos. A pesar de que el aceite esencial se extrae de flores, su textura carnosa permite hacerlo por destilación, motivo por el cual no es demasiado caro. Es de una bella tonalidad amarilla pálida y de un penetrante aroma floral, afrutado, dulce y sensual, seguramente uno de los más exquisitos y sugerentes que se puedan encontrar.

También se extrae del neroli un concreto y un absoluto con disolventes volátiles. Existen productores que todavía utilizan el método de enflorado, mucho más laborioso, pero más natural que el anterior.

Principales componentes químicos
● Ácido fenilacético, renol, geraniol, linalol, nerolidol, terpineol, acetato de linalilo, antranilato de metilo, acetato de neril, jazmona, camfeno y limoneno.

Aplicaciones terapéuticas
● Agotamiento, ansiedad crónica, apatía, crisis emocionales, cuperosis, depresión, diarrea, dismenorrea, dispepsia nerviosa, estrés, fatiga, histeria, insomnio, irritabilidad, jaqueca, mala circulación, menopausia, neuralgia, palpitaciones, shock, síndrome premenstrual, tensión nerviosa.

¿Sabías que...?
● *El aceite esencial de neroli era muy apreciado en Venecia porque le atribuían virtudes terapéuticas para combatir la peste y las fiebres.*

- Afrodisíaco
- Antidepresivo
- Antiespasmódico
- Antiséptico
- Bactericida
- Carminativo
- Cicatrizante
- Citofiláctico
- Cordial
- Desodorante

- Digestivo
- Emoliente
- Estimulante nervioso
- Euforizante
- Fungicida
- Hipnótico suave
- Revitalizante
- Tónico cardíaco
- Tónico circulatorio

Advertencia

No tiene contraindicaciones de ningún tipo porque es un aceite esencial no tóxico que no irrita ni sensibiliza la piel. Puedes utilizarlo durante todo el embarazo.

Aplicaciones cosméticas

Es un gran aliado de las pieles maduras, sensible y secas porque mejora la elasticidad de la piel y contribuye a regenerar las células cutáneas. También ayuda en casos de acné, estrías y cicatrices.

Además, se ha utilizado durante siglos en cosméticos, agua de colonia y baños perfumados.

Orégano

Descripción general

Esta planta, pariente de la mejorana, es rastrera y crece silvestre por toda Europa. Sus tallos con hojas ovaladas se alzan, pilosos y aromáticos, hasta casi medio metro del suelo, y acaban en unas coronas de florecillas de color rosado, blanco o malva.

El aceite esencial se extrae por destilación de las flores y es de un color que va del amarillo oscuro al pardo. Su aroma, como la planta que condimenta tantos platos italianos, es intenso, especiado y caliente, y recuerda al fenol.

Precisamente este principio activo convierte al aceite esencial de orégano en uno de los más antisépticos que se conocen en aromaterapia ya que contiene casi un 90 % de fenoles.

Nombre latino:
Origanum vulgare
Familia:
Labiadas

Principales componentes químicos

● Timol, cineol, carvacrol, borneol, beta-bisilobeno, limoneno, alfa-pineno, beta-pineno, mirceno, camfeno, alfa-terpineno.

Propiedades terapéuticas del aceite esencial

- ● Analgésico
- ● Antiespasmódico
- ● Antioxidante
- ● Antiparasitario
- ● Antiséptico
- ● Carminativo
- ● Diurético
- ● Emenagogo
- ● Estomacal
- ● Expectorante
- ● Fungicida
- ● Sudorífico

Aplicaciones terapéuticas

● Abscesos, aerofagia, afecciones psicosomáticas, asma, bronquitis, ciática, cólico, diarrea, digestión lenta, eccema, flatulencia, forúnculos, herpes, inapetencia, lumbago, micosis, migraña, neuralgia, pediculosis (piojos), picaduras de insectos, psoriasis, pulmonía, retención de líquidos, reumatismo, síndrome premenstrual, tos, tuberculosis.

Aplicaciones cosméticas

● El aceite esencial de orégano se utiliza en cosmética para combatir la celulitis ya que ayuda a reducir la retención de líquidos.

¿Sabías que...?
● *El nombre de esta planta procede del griego y significa «alegría de la montaña» («oros» es 'montaña' y «ganos», 'alegría').*

Advertencia

● *Es muy importante que te asegures de comprar aceite esencial de orégano puro, ya que en muchas ocasiones el que se vende es sintético.*
●*No lo utilices si estás embarazada porque sus propiedades emenagogas te podrían producir un aborto.*

Pachulí

Descripción general

El pachulí es un arbusto de 1 m de altura originario de Asia tropical. En la actualidad se cultiva en muchos otros lugares con el único objetivo de producir su aceite esencial.

Tiene unas grandes y aromáticas hojas velludas y unas flores de un blanco azulado. Para obtener el aceite esencial se secan y fermentan las hojas y se someten a destilación al vapor. El resultado es una sustancia ambarina algo viscosa de fragancia terrosa, persistente, rica y muy particular, que mejora a medida que pasa el tiempo, aunque la tonalidad puede volverse de un naranja oscuro.

Nombre latino:
Pogostemon patchouli
Familia:
Labiadas

Principales componentes químicos

● Aldehído benzóico, aldehído cinámico, eugenol, cadineno, carvona, cariofileno, ceruleína, humuleno, pachulol y seycheleno.

¿Sabías que...?
● *Aunque este aceite se utiliza desde hace miles de años en la India, llegó a Europa a finales del siglo XIX con la importación de tejidos indios. Era moda perfumarlos con pachulí para darles más exotismo. Los sesenta fueron el paraíso hippie y se puso de moda todo lo hindú. Fue la década en que más pachulí se utilizó para el perfume.*

Advertencia
● *Si te lo aplicas en pequeñas dosis tiene un efecto sedante; en cambio, si la dosis es mayor puede tener el efecto contrario y convertirse en estimulante.*

Aplicaciones terapéuticas
● Ansiedad, depresión, diarrea, eccema, estrés, frigidez, heridas, micosis, pie de atleta, psoriasis, retención de líquidos.

Aplicaciones cosméticas
● Como quita el hambre resulta de gran ayuda en los procesos de adelgazamiento. Además, al ser diurético ayuda a eliminar la retención de líquidos y a combatir la celulitis. Por ende, como tiene propiedades regeneradoras, tónicas y astringentes, contribuye a tensar la piel flácida resultado de una pérdida de peso muy rápida o acusada.
● En lo que se refiere a la piel, también está muy indicado para cutis y cabellos grasos o con caspa, y para tratar el acné. Además, al ser descongestionante, refresca y calma la piel seca agrietada.
● Por último, sus propiedades antisudoríficas y desodorantes lo convierten en una gran ayuda si se padece de exceso de sudoración.

Propiedades terapéuticas del aceite

- Afrodisíaco
- Antidepresivo
- Antiemético
- Antiflogístico
- Antiinflamatorio
- Antimicrobiano
- Antiséptico
- Antitérmico
- Antitóxico

- Antiviral
- Astringente
- Carminativo
- Cicatrizante
- Citofiláctico
- Desodorante
- Diurético
- Estimulante
  nervioso

- Estomacal
- Febrífugo
- Fungicida
- Insecticida
- Nervino
- Profiláctico
- Sedante
- Tónico

Palisandro (o palo de rosa)

Descripción general

Nombre latino:
Aniba rosaeodora
Familia:
Lauráceas

También denominado «palo de rosa», es un árbol tropical silvestre que crece en la selva de Brasil, donde recibe el nombre de «jacarandá». Tiene una hoja perenne, una corteza y duramen de color rojo y sus flores son amarillas. El aceite esencial es fluido y se extrae por destilación a partir de virutas del duramen y su tonalidad es de un amarillo pálido. El perfume es muy dulce, floral, picante y con una suave nota amaderada. Recuerda a la rosa pero con un fondo de madera.

Principales componentes químicos
● Geraniol, linalol, nerol, terpineol, cineol, dipenteno.

Aplicaciones terapéuticas
● Cansancio, decaimiento, estrés, fiebre, frigidez, impotencia, inmunodepresión, jaqueca, jet lag, meditación, migraña con náuseas, resfriado, tensión nerviosa, tos seca.

¿Sabías que...?
● *La madera de palisandro también se utiliza para fabricar muebles en Estados Unidos y palillos en Japón. Además, en Francia también se utiliza en construcción y ebanistería.*

Advertencia
● *El aceite de palisandro se extrae de un árbol que crece en la selva amazónica, y su uso abusivo puede contribuir a la deforestación de la misma. Por lo tanto, hay que utilizarlo en su justa medida.*

Propiedades terapéuticas del aceite esencial

● Afrodisíaco
● Analgésico
● Anticonvulsivo
● Antidepresivo
● Antimicrobiano
● Antiséptico
● Bactericida
● Cefálico
● Desodorante
● Estimulante inmunológico
● Insecticida
● Repelente de mosquitos
● Sedante suave
● Tónico

Aplicaciones cosméticas:
● El palisandro es muy eficaz en el cuidado de pieles secas, maduras o cansadas debido a sus propiedades regeneradoras, y como estimulante celular. Combinado con aceite esencial de rosa hay quien afirma que llega, incluso, a rejuvenecer.
● También ayuda a las pieles apagadas, sensibles o inflamadas, y a los cutis con problemas de acné.

Petit-grain

Descripción general

El naranjo amargo da tres tipos de aceites esenciales. El de la cáscara de su fruto es el de naranja amarga, el de sus flores es el de neroli, y el de sus hojas es el de petit-grain, del que vamos a hablar ahora.

Como hemos mencionado en los aceites anteriormente citados, el naranjo amargo es un árbol ornamental que llegó de China a España de la mano de los árabes en los siglos del Al-Ándalus. Su fruto es más pequeño, y mucho más amargo también, que el de la naranja dulce, apta para el consumo.

El nombre del aceite esencial se debe a que, originariamente, se extraía de los frutos cuando todavía estaban en un primer estadio y eran diminutos granos de color verde.

Nombre latino:
Citrus aurantium
Familia:
Rutáceas

¿Sabías que...?
● *Como se trata de un sedante suave, ayuda a superar las dependencias de las pastillas para dormir y de los tranquilizantes. Es una forma natural de recuperar el sueño y la paz interior.*

En la actualidad, el aceite se extrae por destilación a partir de las hojas y las ramas tiernas del naranjo amargo. Sus propiedades se parecen mucho a las del aceite esencial de neroli, del que ya hemos hablado, aunque se diferencia sobre todo en que es menos sedante.

La tonalidad puede variar desde un amarillo pálido a un ámbar más oscuro y su aroma es fresco, cítrico y floral, y recuerda al del neroli pero menos intenso.

Advertencia

● Contrariamente a las esencias de cítricos, el aceite esencial de petit-grain no es fototóxico, por lo que no hay peligro de sensibilización o irritación en la piel, y puedes tomar el sol sin exponerte a tener manchas después.

● Sin embargo, si estás embarazada es conveniente que esperes a haber superado el cuarto mes de gestación.

Aplicaciones cosméticas

● El aceite esencial de petit-grain da muy buenos resultados en los tratamientos de pieles acnéicas por sus características antisépticas y rubefacientes. Asimismo, también es un aceite que está recomendado para cutis y cabello graso. Además, controla la sudoración excesiva y funciona muy bien como desodorante.

● Además, la esencia de petit-grain es una de las más utilizadas en perfumería como base del agua de colonia por su aroma dulce y cítrico, muy fresco y que evoca a la lavanda. Es un «clásico» en perfumería.

Principales componentes químicos

● l inalol, acetato de linalilo, acetato de geranil, limoneno y geraniol.

Aplicaciones terapéuticas

● Ansiedad, confusión mental, convalecencia, dispepsia, dudas, estrés, fatiga mental, fatiga nerviosa, flatulencia, forúnculos, hepatitis crónica, inapetencia, insomnio, miedo, nerviosismo, reumatismo.

Propiedades terapéuticas del aceite esencial

- ● Antiinfeccioso
- ● Antiinflamatorio
- ● Antiséptico
- ● Antiespasmódico
- ● Desodorante
- ● Digestivo
- ● Nervino
- ● Estimulante
- ● Estimulante digestivo
- ● Estomacal
- ● Antirreumático
- ● Tónico
- ● Refrescante
- ● Relajante

Pimienta negra

Descripción general

La pimienta negra se obtiene de una planta enredadera que se cultivaba originariamente en el sudeste asiático. Puede llegar a tener 6 m de altura, con hojas en forma de corazón de color verde oscuro y diminutas flores blancas. Los granos de pimienta negra son sus bayas, que se recogen todavía verdes y se ponen a secar al sol.

El aceite esencial se extrae por destilación de las bayas de pimienta machacadas. Su tonalidad va del transparente al amarillo verdoso y su aroma característico es especiado, alcanforado, masculino, oriental, cálido y sensual.

Nombre latino:
Piper nigrum
Familia:
Piperáceas

Principales componentes químicos
- Felandreno, pineno, limoneno y piperina.

Propiedades terapéuticas del aceite esencial

- Afrodisíaco
- Analgésico
- Antiespasmódico
- Antimicrobiano
- Antirreumático
- Antiséptico
- Antitóxico
- Aperitivo
- Bactericida
- Carminativo
- Digestivo
- Diurético
- Estimulante
- Estomacal
- Febrífugo
- Laxante
- Rubefaciente
- Tónico (bazo)

Advertencia

- *Siempre debes utilizar este aceite esencial diluido al 1 % como máximo en un aceite vegetal portador porque puede ser irritante si te lo aplicas directamente sobre la piel.*

¿Sabías que...?

- *La pimienta llegó a ser en tiempos de Roma más cara que el oro, y era muy apreciada por sus cualidades culinarias y curativas. Todo ello ha generado dichos populares en diferentes culturas, como la frase francesa: «Es más caro que la pimienta».*

Aplicaciones terapéuticas

- Acidez de estomago, anemia, anginas, artritis, ciática, cólera, cólico, dermatitis, diarrea, disentería, dispepsia, disuria (dificultades para orinar), dolor de muelas, dolor muscular, espasmos musculares, estreñimiento, fiebre, fiebre del heno, flatulencia, gripe, inapetencia, indigestión, infección vírica, mala circulación, náuseas, neuralgia, resfriado, reumatismo, sabañones, tos, trastornos nerviosos, vértigo, vómitos.

Pino

Nombre latino:
Pinus sylvestris
Familia:
Coníferas

Descripción general

Esta conífera también es conocida como «pino albar», y crece en las zonas frías de Europa, Rusia y Estados Unidos. Es un árbol de hoja perenne en forma de agujas verdes, con la corteza marrón rojizo. Da unas flores anaranjadas y unas piñas marrones acabadas en punta.

El aceite esencial se extrae por destilación de las agujas, las piñas y las ramas tiernas. Es muy fluido y transparente, con una ligera tonalidad amarilla. Su aroma es muy balsámico y reconfortante, huele a limpio y proporciona frescor.

Principales componentes químicos

- Acetato de bornil, borneol, acetato de terpinil, camfeno, limoneno, cadinol, cadineno, dipenteno, felandreno, pineno y silvestreno.

¿Sabías que...?

- *Los indios americanos quemaban piñas para mantener sus campamentos a salvo de mosquitos. Además, rellenaban sus colchones con agujas de pino para repeler pulgas y piojos, y hervían sus hojas para preparar una bebida que les protegía del escorbuto, debido al alto contenido en vitamina C de las hojas.*

Advertencia

- *Siempre debes adquirir el aceite esencial del Pinus sylvestris. Existen de otros tipos de pino pero pueden llegar a ser tóxicos, como el caso del Pinus pumilio (pino enano).*
- *Dadas sus propiedades hipertensoras no conviene que lo utilices si tienes la tensión alta. Tampoco es aconsejable aplicarlo sobre pieles sensibles, de niños o de personas ancianas.*

Aplicaciones terapéuticas

- Alergias, artritis, artritis reumatoide, asma, astenia, baja autoestima, bronquitis, bursitis, cálculos biliares, convalecencia, diabetes, eccema, esclerosis, escorbuto, fatiga mental, fatiga nerviosa, gastralgia, gota hepatitis, mala circulación, pediculosis (piojos), pie de atleta, problemas de próstata, psoriasis, pulmonía, repelente de insectos, reumatismo, sabañones, sarna, sinusitis, tensión premenstrual, tuberculosis.

Aplicaciones cosméticas

- El aceite esencial de pino se utiliza para confeccionar productos de baño, como gel, champú, desodorante y colonia fresca, pero no se le conocen aplicaciones en tratamientos cosméticos.

Propiedades terapéuticas del aceite esencial

- Antiescorbútico
- Antiflogístico
- Antiinflamatorio
- Antimicrobiano
- Antineurálgico
- Antirreumático
- Antiséptico
- Antiviral
- Bactericida
- Balsámico
- Colagogo
- Descongestionante linfático
- Descongestivo
- Desodorante
- Diurético
- Estimulante adrenal
- Estimulante circulatorio
- Estimulante nervioso
- Fungicida
- Hipertensivo
- Hipoglicemiante
- Insecticida
- Reconstituyente
- Rubefaciente
- Sudorífico
- Tónico
- Vermífugo

Pomelo

Descripción general

El pomelo es originario de Asia, pero parece ser que fue en las Antillas donde empezó a cultivarse allá por el siglo XVIII. En la actualidad, se produce en lugares tan dispares como Brasil, Florida, Israel y, sobre todo, California.

Este cítrico crece en árboles de hojas brillantes y flores blancas. Es de mayor tamaño que la naranja y su cáscara de color amarillo proporciona una esencia de múltiples aplicaciones terapéuticas y cosméticas.

La esencia, como la de todos los cítricos, se extrae por expresión en frío de la cáscara. Es muy fluida y tiene una tonalidad amarillo verdosa y su aroma es intenso, refrescante, ácido y dulce a la vez. Es un perfume que armoniza los espacios y que proporciona energía, estabilidad y optimis-

Nombre latino:
Citrus paradisi
Familia:
Rutáceas

¿Sabías que...?

● *La esencia de pomelo ejerce un magnífico efecto en la atmósfera de tu hogar o tu lugar de trabajo. Si la utilizas en un quemador ayuda a purificar el aire y a limpiar de energía negativa el ambiente, con lo que contribuye a neutralizar situaciones de estrés o angustia. Sus principios activos equilibran el sistema nervioso central, así que proporciona optimismo, energía y vitalidad.*

mo, además de limpiar de gérmenes del ambiente.

Principales componentes químicos
● Citral, linalol, geraniol, limoneno y pineno.

Aplicaciones terapéuticas
● Depresión, dolor muscular, estrés, fatiga, fatiga hepática, fatiga nerviosa, gripe, inapetencia, jet lag, migraña, molestias del embarazo, síndrome de abstinencia, síndrome premenstrual.

Aplicaciones cosméticas

● Los principios activos de la esencia de pomelo tienen múltiples aplicaciones en cosmética. Como favorece la eliminación de líquidos se utiliza para combatir la celulitis, pero también es útil en casos de obesidad, porque ayuda a tu organismo a metabolizar bien las grasas, dado que es colerético, es decir, que favorece la producción de bilis.

● Además, como es astringente, antiséptico, antitóxico y estimula el sistema linfático contribuye a tratar las pieles congestionadas y grasas o con problemas de acné con excelentes resultados.

● También se utiliza para estimular el crecimiento del cabello y para tonificar las pieles cansadas o maduras.

Propiedades terapéuticas del aceite esencial

- Antidepresivo
- Antiséptico
- Antitóxico
- Aperitivo
- Astringente
- Bactericida
- Colerético
- Depurativo
- Desinfectante
- Diurético
- Estimulante digestivo
- Estimulante linfático
- Revitalizante
- Tónico

Romero

Descripción general

El romero, que en latín significa «rocío del mar», ha estado presente en las culturas mediterráneas por sus grandes beneficios terapéuticos. Egipcios, griegos y romanos lo utilizaron y cuenta la leyenda que sus flores se volvieron azules cuando la Virgen María depositó su manto sobre una planta de romero en su huida a Egipto.

Su bagaje histórico avala sus capacidades curativas y hay quien ya la denomina el «ginseng mediterráneo» por sus múltiples beneficios y aplicaciones.

Esta planta se cultiva en todo el mundo, pero el aceite esencial se produce en España, Francia y Marruecos. Toda ella es aromática, desde los largos tallos de hojas estrechas de color verde plateado a sus florecillas azuladas o púrpuras.

Nombre latino:
Rosmarinus officinalis
Familia:
Labiadas

¿Sabías que...?
● *Antiguamente, en Inglaterra, se acostumbraba a llevar colgando del cuello una bolsita con unas hojas de romero con el objeto de no contraer resfriados y sentirse a salvo de la peste. También se la colocaban alrededor del brazo derecho para levantar el ánimo o debajo de la almohada de los niños, para protegerlos de las pesadillas nocturnas.*

El aceite se extrae por destilación de las hojas y las flores. Es de una textura muy fluida y un pálido color amarillo. El aroma es penetrante y refrescante, con una fuerte nota herbácea que recuerda a la menta y que proporciona sensación de limpieza y frescor.

Principales componentes químicos
● Borneol, aldehído cumínico, acetato de bornilo, alcanfor, cineol, cariofileno, camfeno y pineno.

Aplicaciones terapéuticas
● Alopecia, amenorrea, amigdalitis, anemia, apa-

tía, arteriosclerosis, asma, bronquitis, bursitis, cálculos biliares, cefalea, cirrosis, clorosis, colecistitis, colitis, debilidad, depresión, dermatitis, desvanecimiento, diarrea, dismenorrea, dispepsia, eccema, edema, epilepsia, espasmos musculares (rampas), estrés, fatiga mental, flatulencia, gota, gripe, heridas, hipercolesterol, hipotensión, histeria, hipotonía vaginal, ictericia, leucorrea, mala circulación, migraña, palpitaciones, pediculosis (piojos), retención de líquidos, resfriado, reumatismo, sabañones, sarna, tisis, tos ferina, trastornos hepáticos, trastornos nerviosos, varices.

Aplicaciones cosméticas

● El aceite esencial de romero tiene también excelentes aplicaciones en cosmética ya que es astringente y antioxidante. Por ejemplo, tensa la piel flácida por la edad o por una pérdida excesiva o rápida de peso. Además, estimula el crecimiento del cabello y da muy buenos resultados en los cabellos grasos o con caspa.

● Los cutis con problemas de acné mejoran con su tratamiento, y las pieles maduras y secas se rehidratan y revitalizan. La famosa Agua de Hungría, regeneradora y revitalizante, estaba hecha a base de romero, limón, rosa, melisa, neroli y menta. Se empezó a comercializar en el siglo XIV y la

Advertencia

● *No te recomendamos el aceite esencial de romero si estás embarazada o padeces ataques de epilepsia. Tampoco lo apliques directamente sobre las varices cuando te des un masaje en las piernas.*

receta de la loción rejuvenecedora provenía de la reina Isabel, que era, efectivamente, la soberana de Hungría, y a los 72 años enamoró al rey de Polonia. Todavía puedes encontrarla en los comercios especializados y disfrutar de sus beneficios.

Propiedades terapéuticas del aceite esencial

● **Afrodisíaco**	● **Carminativo**	● **Fungicida**
● **Analgésico**	● **Cefálico**	● **Hepático**
● **Antidepresivo**	● **Cicatrizante**	● **Hipertensor**
● **Antiespasmódico**	● **Colagogo**	● **Hipotensor**
● **Antimicrobiano**	● **Colerético**	● **Nervino**
● **Antioxidante**	● **Cordial**	● **Reconstituyente**
● **Antiparasitario**	● **Diurético**	● **Rubefaciente**
● **Antirreumático**	● **Emenagogo**	● **Sudorífico**
● **Antiséptico**	● **Estimulante**	● **Vulnerario**
● **Astringente**	● **Estomacal**	

Rosa

Descripción general

Hay múltiples variedades y especies de rosas que, desde hace miles de años, adornan jardines o salones, perfuman reinas y cortesanas y están presentes en nuestra vida cotidiana. Es la reina de los perfumes y la flor por excelencia.

De su arbusto espinoso y de hojas verde oscuro florecen rosas que abarcan todas las tonalidades e intensidades aromáticas. Rosas grandes, rosas diminutas, de todos los tamaños y variedades.

Sin embargo, de todas ellas, la aromaterapia utiliza básicamente el aceite esencial de la rosa damascena (también conocida como rosa de Alejandría o rosa de damasco) y el de la rosa centifolia (rosa de cien hojas o rosa romana). Las variedades cromáticas son la rosa o la púrpura y se extrae de la rosa damascena por medio de destilación de los pétalos frescos o enflorado, y de la rosa romana por extracción con disolventes volá-

Nombre latino:
Rosa damascena y
Rosa centifolia
Familia:
Rosáceas

¿Sabías que...?
● *El poder sensual del aceite esencial de rosas se remonta a culturas milenarias y llega hasta nuestros días. Se dice que cuando Cleopatra sedujo a Marco Antonio tenía todo su cuerpo ungido en esta perfumada esencia.*

tiles. Con este último método se extrae un absoluto, que no es apto para terapia, aunque sí para cosmética y perfumería, debido a las trazas de disolvente que quedan diluidas.

Se trata de un aceite muy caro, probablemente el que más, ya que se necesita una gran cantidad de materia prima en su destilación. Se estima que se precisan 5 toneladas de flores para obtener 1 litro de aceite esencial. Quizá por eso suele venderse en diminutos (y caros) frasquitos de 1 ml de capacidad.

Advertencia

● *No conviene que te apliques este aceite esencial durante los cuatro primeros meses de gestación debido a sus propiedades emenagogas y como tónico uterino.*

Principales componentes químicos

● Ácido geránico, eugenol, citronelol, farnesol, geraniol, nerol, rodinol, stearopteno y mirceno.

Aplicaciones cosméticas

● El aceite esencial de rosa es muy beneficioso para cualquier tipo de cutis, especialmente los secos, cansados o sensibles.

● Está presente en muchos perfumes y en el hidrolato de rosa, que es un excepcional tónico para todo tipo de pieles.

Aplicaciones terapéuticas

● Anorexia, ansiedad, asma, cefalea, celos, colecistitis, congestión hepática, conjuntivitis, depresión, desánimo, dolor de garganta, esterilidad, estreñimiento, estrés, fiebre del heno, frigidez, hemorragia, impotencia, inapetencia, insomnio, ira, leucorrea, mala circulación, melancolía, menopausia, menorragia, menstruación irregular, náuseas, oftalmia, rencor, síndrome premenstrual, tensión nerviosa, tos, trastornos uterinos, tristeza por pérdida, vómitos.

Propiedades terapéuticas del aceite esencial

● Afrodisíaco	● Emenagogo
● Antidepresivo	● Esplenético
● Antiespasmódico	● Estomacal
● Antiflogístico	● Hemostático
● Antiséptico	● Hepático
● Antiviral	● Laxante
● Astringente	● Tónico cordial
● Bactericida	● Tónico estomacal
● Colerético	● Tónico hepático
● Depurativo	● Tónico uterino

Salvia esclarea (o amaro)

Descripción general

Nombre latino:
Salvia esclarea
Familia:
Labiadas

La salvia esclarea es una planta herbácea de hojas grandes y arrugadas, que tiene un tallo rosado y unas flores lilas con pétalos acabados en punta, de textura encerada. Cabe destacar que es muy parecida a la salvia común, pero, en cambio, sus flores son bastante más pequeñas. Se utiliza desde hace miles de años y su nombre proviene de la palabra latina «salvaro», que significaba 'salvar' y que pone de manifiesto la fama que tenía de curarlo todo.

El amaro o salvia esclarea se utiliza en aromaterapia más que la salvia común; aunque tienen propiedades semejantes, el aceite de amaro es más inocuo pues no contiene apenas tuyona.

El aceite esencial se extrae de la parte verde y las flores por destilación al vapor. Es de fragancia fuerte y densa, e incoloro. Esta esencia recuerda sólo de lejos al de la salvia común, que es más rica y floral.

Componentes químicos
- Morneol, alcanfor, cineol, pineno, salviol, salveno, acetato de linalilo y cariofileno.

Aplicaciones terapéuticas
- Ansiedad, amenorrea, cefalea, cólico, convulsiones, depresión, dismenorrea, dispepsia, diviesos, estrés, euforia, flatulencia, frigidez, hipertensión, histeria, impotencia, infecciones de garganta, infecciones respiratorias, leucorrea, menopausia, migraña, meurastenia, oftalmia, somnolencia, tos ferina, trastornos nefríticos, úlceras.

Aplicaciones cosméticas
- Este aceite esencial se utiliza a menudo en los tratamientos regeneradores para cuidar las pieles algo maduras. También resulta muy beneficioso en los cutis grasos o que tengan problemas de acné.
- Si tienes el cabello graso o con caspa, utiliza la salvia esclarea para regular tu cuero cabelludo. Además, estarás estimulando el crecimiento de tu cabello.

¿Sabías que...?
- *En los tiempos de los faraones se creía que la salvia curaba la infertilidad porque regulaba la menstruación. En cambio, griegos y romanos estaban convencidos de que garantizaba una larga vida.*

Propiedades terapéuticas del aceite esencial

- Afrodisíaco
- Analgésico
- Anticonvulsivo
- Antidepresivo
- Antiespasmódico
- Antiinflamatorio
- Antiséptico
- Astringente
- Bactericida
- Balsámico
- Carminativo
- Cicatrizante
- Desodorante
- Digestivo
- Emenagogo
- Estomacal
- Hipotensor
- Nervino
- Sedante
- Sudorífico
- Tónico
- Tónico durante el parto
- Uterino

Advertencia

- *Aunque no debes utilizarlo durante el embarazo, resulta útil en los últimos estadios del parto. Evítalo si estás dando el pecho a tu bebé.*
- *Convienen que no lo utilices si debes conducir o trabajar con máquinas debido a su efecto sedante, que te dificultará la concentración.*
- *En dosis elevadas puede producir cefalea.*

Sándalo

Descripción general

El árbol del sándalo crece en la India oriental y el sudeste asiático. Durante los siete primeros años de su vida es semiparásito y enraiza en las plantas y árboles cercanos, a los que acaba matando, hasta que echa sus propias raíces. Pasado este período, precisa de unos treinta años de crecimiento antes de que su madera pueda ser aprovechada para la industria de los aceites esenciales y la perfumería y la cosmética. También se ha utilizado mucho en construcción porque su madera repele el ataque de las termitas.

   El aceite esencial se extrae por destilación de las astillas del duramen (el corazón del tronco) desecado y molido, ya que su corteza y albura son inodoras. Este motivo, y su largo período de crecimiento, ha hecho que sea un árbol protegido por los gobiernos que lo explotan para evitar su extinción y, con ello, una importante fuente de ingresos.

Nombre latino:
Santalum album
Familia:
Santaláceas

¿Sabías que...?
● *El aceite esencial de sándalo ha estado presente desde hace miles de años en las farmacopeas hindú, árabe, china, tibetana y egipcia. Sus múltiples y reconocidos efectos terapéuticos lo hacen casi imprescindible en cualquier consulta de aromaterapeuta.*

Al contrario que el resto de aceites esenciales, que tienen fecha de caducidad, el de sándalo debe permanecer almacenado durante medio año antes de su utilización para que adquiera todos los principios activos y el perfume adecuado. Pasado ese tiempo, adquiere una textura viscosa de color amarillo oscuro y su aroma, muy balsámico, es dulce, oriental, afrutado y muy persistente. Permanece en la ropa incluso después de haberla lavado. El sándalo tiene magníficos efectos no sólo sobre nuestro organismo, sino que sus capacidades beneficiosas llegan a nuestro yo emocional y espiritual. Proporciona paz, equilibrio, facili-

Advertencia

No es tóxico, ni irritante ni sensibilizante, ya que es muy suave y emoliente para la piel. Además, puedes utilizarlo sin problemas durante todo el embarazo.

ta la meditación y potencia la autoestima, además de aliviar las preocupaciones, los miedos y los sentimientos negativos. Además, no conviene olvidar su acreditada fama como afrodisíaco.

Principales componentes químicos

● Santalol (alfa y beta santalol), furfurol y santaleno.

Aplicaciones terapéuticas

● Abscesos, ansiedad, bronquitis, ciática, cistitis, depresión, dermatitis, diarrea, dolor de garganta, eccema, estrés, frigidez, gonorrea, hemorroides, impotencia, indigestión, inseguridad, insomnio, laringitis, lumbago, meditación, miedo, náuseas, neuralgias, obsesiones, prurito, resfriado, tensión nerviosa, tos, tuberculosis, uretritis, varices, vómitos.

Aplicaciones cosméticas

● El aceite esencial de sándalo es uno de los que más aplicaciones cosméticas tiene para la piel debido a sus propiedades emolientes, antisépticas, antiinflamatorias, cicatrizantes y astringentes. Es muy útil en casos de acné y en todo tipo de cutis, especialmente en las pieles maduras.

● Su aroma rico y profundo, con una nota de madera, lo hace también apropiado para la cosmética masculina. Por esa razón suele estar presente en la composición de lociones para después del afeitado, ya que alivia el prurito y el escozor que provoca la maquinilla de afeitar.

Tomillo

Nombre latino:
Thymus vulgaris
Familia:
Labiadas

Descripción general

La planta del tomillo es originaria de la cuenca mediterránea y se reparte en más de trescientas especies. En la actualidad ya crece por todo el mundo tanto en climas cálidos como en la propia Islandia. Por ello sus principios activos pueden variar y existen diferentes quimiotipos, como el linalol o el timol, en función del componente químico que predomine.

Se trata de una planta de unos 30 cm de altura, de tallos con pequeñas y aromáticas hojas de un verde oscuro y florecillas malva. El aroma de las hojas puede variar desde un perfume que evoca al limón hasta una nota de alcaravea o naranja.

El aceite esencial se extrae por destilación de las hojas y las flores. De consistencia viscosa y grasa, es incoloro y su aroma es idéntico al de la

planta pero mucho más intenso. Si el aceite esencial se envasa en recipientes metálicos, el interior se oxida y lo tiñe de rojo. En cambio, si se envasa en frascos de cristal oscuro, permanece transparente, por lo que es más probable que sus principios activos se mantengan intactos.

Principales componentes químicos
● Timol, carvacrol, borneol, linalol, geraniol, acetato de geranilo, mentona, p-cimeno, pineno, tujanol y ácido triterpénico.

¿Sabías que...?
● *El tomillo ya era utilizado por sus propiedades medicinales desde tiempos de los sumerios, hace cinco milenios. A partir de entonces, ha sido protagonista de los remedios tradicionales de todas las culturas mediterráneas y ha ocupado, y ocupa, un lugar importante en sus mitologías, cocinas y boticas.*

Advertencia

● *No te recomendamos el aceite esencial de tomillo si estás embarazada o padeces ataques de epilepsia. Tampoco lo apliques directamente sobre las varices cuando te des un masaje en las piernas.*

Aplicaciones cosméticas

● El carácter antiséptico y astringente del aceite esencial de tomillo lo convierte en aliado de los cabellos grasos, la alopecia y de los cutis con problemas de acné. Además, como estimula la circulación y el sistema inmunológico, ayuda a la piel a regenerarse y regularse.

● Estos beneficios también se notan en las personas que desean bajar de peso, y el tomillo suele estar presente en los masajes anticelulíticos y para combatir la obesidad.

Aplicaciones terapéuticas

● Abscesos, aerofagia, asma, astenia, atonía digestiva (digestiones lentas), bronquitis, candidiasis, cistitis, dermatitis, diarrea, dispepsia, dolores musculares, eccema, espasmos musculares (rampas), estomatitis, estrés, faringitis, fatiga cardíaca, flatulencia, gota, gripe, hipotensión, inapetencia, insomnio, mala circulación, otitis, parásitos intestinales, parto, picaduras de insectos, pleuresía, prostatitis, psoriasis, quemaduras, reumatismo, rinitis, sinusitis, tos crónica, tuberculosis, uretritis, vaginitis.

Propiedades terapéuticas del aceite esencial

● Afrodisíaco	● Aperitivo	● Fungicida
● Antibacteriano	● Astringente	● Hipertensivo
● Antiespasmódico	● Balsámico	● Nervino
● Antimicrobiano	● Carminativo	● Rubefaciente
● Antioxidante	● Cicatrizante	● Sudorífico
● Antirreumático	● Diurético	● Tónico
● Antitóxico	● Emenagogo	● Tónico cordial
● Antitusígeno	● Estimulante	● Tónico uterino
● Antiviral	● Expectorante	● Vermífugo

Violeta

Descripción general

El perfume de la violeta es, después de la rosa, uno de los más femeninos que nos brinda la naturaleza. Pero no sólo es agradable, sino que tiene la capacidad terapéutica de reconfortar el corazón, ayudar a superar desengaños amorosos y calmar la tos. Son sólo algunos ejemplos de los variados beneficios que ofrece esta diminuta flor fragante con fama de afrodisíaca.

Se trata de una pequeña planta de unos 15 cm de altura, de tallos finos y hojas sencillas con flores alargadas y pedunculadas de un intenso color violeta y perfume dulce y suave. Es natural de la cuenca mediterránea y de China y Japón, aunque en la actualidad se cultiva en regiones tropicales y subtropicales de todo el mundo. De las hojas se obtiene un aceite esencial por destilación, y de las flores, un absoluto por extracción con disolventes volátiles. El absoluto se utiliza en perfumería ya que las pequeñas trazas que quedan de disolventes no lo recomiendan para terapia. Su aroma es floral, dulce, persistente y relajante.

Nombre latino:
Viola odorata
Familia:
Violáceas

¿Sabías que...?
● *Tradicionalmente, se preparaba con las flores de violeta un jarabe para la tos y los resfriados.*

Propiedades terapéuticas del aceite esencial

- Afrodisíaca
- Antiinflamatorio
- Antirreumático
- Antiséptico
- Antitusígeno
- Descongestionante
- Diurético
- Estimulante circulatorio
- Expectorante
- Sedante

Principales componentes químicos
● Irone, alcohol benzílico, eugenol y monadienol.

Aplicaciones terapéuticas
● Ansiedad, agotamiento nervioso, baja autoestima, bronquitis, dermatitis, eccema, fatiga mental, infecciones cutáneas, insomnio, ira, mala circulación, problemas renales, resfriado, reumatismo, tensión nerviosa, tristeza por abandono, tos.

Aplicaciones cosméticas
● La violeta tiene unas propiedades emolientes que hidratan en profundidad las pieles maduras. Además, su capacidad descongestionante y antiséptica da buenos resultados en los tratamientos para combatir el acné y cuidar los cutis grasos.

Advertencia

● *Si estas embarazada debes esperar a haber superado el cuarto mes de gestación para poder utilizarlo sin problemas.*

Ylang ylang (o cananga)

Descripción general

La exótica flor de ylang ylang es originaria de Asia tropical y crece en islas como Indonesia, Filipinas, Madagascar y Reunión. Se trata de un árbol de tamaño mediano con ramas colgantes y frágiles, y hojas alargadas y brillantes que cuelgan. En la base de las hojas crecen en racimos las preciadas flores, que pueden ser malvas, rosas o amarillas. El aceite esencial se extrae de las flores por destilación al vapor. El de mejor calidad es el de las flores amarillas. De color ambarino muy pálido, tiene una textura muy líquida y su aroma es fresco y especiado a la vez, con una nota balsámica muy exótica y un potente perfume floral, voluptuoso y sensual.

Nombre latino:
Cananga odorata
Familia:
Anonáceas

Principales componentes químicos

● Ácido benzóico, farnesol, geraniol, linalol, acetato de bencilo, eugenol, acetato de linalilo, benzoato de linalilo, safrolo, cadineno, cariofileno, cresol y pineno.

Aplicaciones terapéuticas

● Ansiedad, baja autoestima, convalecencia de cesárea, depresión posparto, estrés, frigidez, frustración, hipertensión, histeria, impotencia, infecciones intestinales, intoxicación alimentaria, ira, miedos, palpitaciones, pánico, picaduras de insectos, shock, taquicardia, tensión nerviosa, tifus.

Aplicaciones cosméticas

● Como es antiseborreico, es un aceite que ayuda a regular las pieles grasas, pero también las secas, porque ejerce un efecto reequilibrante sobre las glándulas sebáceas.

● También se utiliza para elaborar tónicos capilares para estimular el crecimiento del cabello y mantener el cuero cabelludo libre de grasa o eccema seborreico.

● Además, se trata de un aceite muy beneficioso para las uñas quebradizas y el cabello con puntas abiertas.

● Se utiliza con gran frecuencia en perfumería, no en vano recibe el sobrenombre de «árbol del perfume» por su rica fragancia floral y exótica, muy apreciada.

¿Sabías que...?

El nombre de «ylang ylang» significa en malayo la 'flor de las flores', y proviene de «alang ilang», o 'flores que se mecen en la brisa'. Su aceite esencial es muy popular en las islas del Pacífico, donde lo aplican en el cabello mezclado con aceite de coco.

Advertencia

No lo utilices si tienes la piel inflamada o padeces dermatitis, porque se han producido algunos casos de sensibilización. Aplícatelo con moderación, porque puede producir náuseas o jaqueca. Si estás embarazada puedes utilizarlo sin problemas a partir del cuarto mes de gestación.

Propiedades terapéuticas del aceite esencial

- Afrodisíaco
- Antidepresivo
- Antiinfeccioso
- Antiseborreico
- Antiséptico
- Estimulante circulatorio
- Euforizante
- Hipotensor
- Nervino
- Regulador
- Sedante nervioso
- Tónico
- Tónico uterino

Zanahoria

Descripción general

Las zanahorias son un tesoro de vitaminas y de carotenos, es decir, de precursores de vitaminas. Se trata de una planta bianual con la raíz endurecida y hojas verdes plumosas que se conoce desde antiguo. Puede ser naranja, blanca, roja o púrpura, ya que son muchas las variedades que se cultivan y que se crearon a partir de la originaria, procedente de Afganistán, que era pequeña, blancuzca, dura y muy alargada.

Nombre latino:
Daucus carota
Familia:
Umbelíferas

El aceite esencial se extrae de las semillas secas por destilación al vapor. Es de textura muy líquida, color ambarino y aroma especiado, seco, cálido y que evoca a notas terrosas y herbáceas.

Principales componentes químicos
● Ácido acético, aldehído alifático, carotol, daucol, asanona, beta-carotena, cineol, ácido fórmico, limoneno y terpineol.

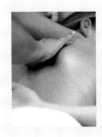

¿Sabías que...?
● *También existe un aceite portador a base de zanahoria que es muy rico en vitamina A. Sin embargo, sólo debes añadir un 10 % del total del aceite de masaje que estés preparando, porque podría darle a la piel un ligero, aunque transitorio, tono amarillo.*

Propiedades terapéuticas del aceite esencial

● Antiparasitario
● Antirreumático
● Antiséptico
● Antioxidante
● Aperitivo
● Carminativo
● Citofiláctico
● Depurativo
● Diurético
● Emenagogo
● Estimulante
● Hepático
● Relajante muscular suave
● Tónico
● Vasodilatador

Advertencia
● *Este aceite esencial es muy suave y no representa ningún riesgo de toxicidad, sensibilización o irritación de la piel. Dadas sus propiedades emenagogas es mejor que no lo utilices durante el embarazo para que no afecte a tu útero ni tu ciclo hormonal.*

Aplicaciones terapéuticas
● Amenorrea, anemia, anorexia, artritis, cólico, cuperosis, dermatitis, desarreglo hormonal, dismenorrea, eccema, edema, fatiga hepática, gota, indigestión, parásitos intestinales, psoriasis, reumatismo, síndrome premenstrual, toxinas en sangre, urticaria.

Aplicaciones cosméticas
● Como revitaliza y tonifica, este aceite esencial es un gran aliado de las pieles maduras y con arrugas, en las que da muy buenos resultados.

Aceites esenciales para el cuerpo

Abscesos y forúnculos

Descripción

Los abscesos son dolorosos y se forman cuando en un tejido o un órgano se acumula pus como consecuencia de una infección bacteriana. Los forúnculos, por su parte, son parecidos, pero, en cambio, se forman en el folículo piloso, es decir, en la raíz de un pelo o cabello.

Suelen originarse como consecuencia de un desequilibrio hormonal, en personas que padecen acné o algún trastorno sanguíneo como la diabetes. También aparecen en temporadas de estrés o agotamiento y en personas que no siguen una alimentación equilibrada. Aunque existen muchos aceites esenciales que pueden ayudar a curar abscesos y forúnculos, siempre hay que acudir al médico, sobre todo si salen en articulaciones o en un ganglio del pecho o del abdomen, ya que pueden dar origen a una septicemia, o infección generalizada.

Remedios de aromaterapia

● En las primeras etapas del desarrollo del absceso o del forúnculo puedes aplicarte unas gotas de árbol del té, extender después aceite de ricino encima y poner calor sobre el área afectada.

● Puedes hacerte una compresa caliente a la que hayas añadido 5 gotas de cajeput, tomillo y limón, o manzanilla, lavanda y árbol del té. No sobrepases las 15 gotas. Coloca sobre la zona afectada la compresa dos veces al día durante un cuarto de hora.

● También resulta útil hacer una cataplasma con harina de avena a la que habrás añadido unas gotas de orégano o árbol del té. La pones sobre el absceso o el forúnculo y la dejas el tiempo que sea preciso.

● Para que la infección salga hacia fuera, hierve un paño o una toalla en agua a la que hayas añadido una gota de cualquiera de los aceites esenciales que te mencionamos antes y aplícatela todo lo caliente que pueda soportar tu piel.

● Este remedio también es muy eficaz para combatir el acné. Por ejemplo, añade 8 o 10 gotas de lavanda o de árbol del té al agua del baño para que actúe como un desinfectante general.

Acné

Descripción

Ésta es una enfermedad muy habitual de las glándulas sebáceas de la piel, que se da, sobre todo, en la etapa adolescente, momento en que tienen lugar grandes cambios hormonales.

Aunque suele salir siempre en la cara, también puede aparecer en la espalda y en el pecho. El tratamiento es el mismo y la higiene tiene que ser extrema. Además, es muy recomendable seguir una dieta sana y equilibrada. El estrés y la falta de ejercicio agravan el problema, así que hay que intentar cambiar los hábitos de forma global.

Aceites esenciales recomendados

- Ajedrea
- Albahaca
- Árbol del té
- Cajeput
- Enebro
- Eucalipto
- Geranio
- Lavanda
- Limón
- Manzanilla
- Mirra
- Orégano
- Pachulí
- Palmarrosa
- Romero
- Salvia esclarea
- Sándalo
- Tomillo

Los aceites esenciales son muy efectivos para tratar este problema cutáneo, y conviene centrarse en uno solo o en la misma mezcla siempre para todo el tratamiento con el fin de potenciar su actividad. Es decir, si se escoge la lavanda, debe estar presente en el baño, la sauna, la limpieza local, los masajes y las compresas, etc.

Los aceites esenciales no engrasan la piel, aunque así pudiera parecerlo. Al contrario, los que están indicados para este problema ejercen una función reguladora sobre las glándulas sebáceas, por lo que las pieles grasas se normalizan.

Remedios de aromaterapia

● Con los 2 aceites que vamos a proporcionarte hazte 2 aplicaciones. En la primera masajea bien la piel limpia con el aceite hasta que penetre. Después, realiza la segunda y aplícate un paño caliente para facilitar su absorción.

● **Pieles normales**: 50 ml de aceite de pepita de uva, 6 gotas de aceite de germen de trigo y 10 gotas del aceite esencial de la lista anterior que prefieras.

● **Pieles sensibles**: 25 ml de aceite de pepita de uva, 25 ml de aceite de

Aceites esenciales recomendados

● **Árbol del té**	● **Mirra**
● **Cedro**	● **Neroli**
● **Ciprés**	● **Niauli**
● **Enebro**	● **Pachulí**
● **Eucalipto**	● **Palisandro**
● **Geranio**	● **Palmarrosa**
● **Lavanda**	● **Petit-grain**
● **Lemongrass**	● **Pomelo**
● **Limón**	● **Romero**
● **Mandarina**	● **Sándalo**
● **Manzanilla**	● **Tomillo**
● **Menta**	● **Vetiver**

almendras, 6 gotas de aceite de germen de trigo y 10 gotas del aceite que prefieras de la lista anterior.

● Hazte una sauna facial de dos a tres veces por semana con una gota de lavanda, manzanilla y petit-grain. Si lo prefieres, puedes optar por añadirle al agua sólo 2 o 3 gotas de aceite de lavanda, por ejemplo, o de árbol del té.

● También puedes aplicarte una gota de geranio, manzanilla romana o árbol del té directamente sobre el grano con la ayuda de un algodón limpio, pero no sobre toda el área afectada.

Alopecia

Descripción

Por alopecia se entiende la pérdida o caída total o parcial de cabello, algo que suele afectar, sobre todo, a los hombres, aunque también se puede dar en las mujeres.

El origen puede ser nervioso o traumático, como una situación de estrés, pero también puede producirla una enfermedad, una reacción a determinados fármacos o un parto. Hablamos de alopecia, y no de calvicie, ya que ésta tiene un origen genético y no puede curarse. La aromaterapia estimula el crecimiento del cabello en todos los casos que te hemos mencionado anteriormente, excepto en la calvicie, aunque contribuye a frenar algo la caída del cabello.

Aceites esenciales recomendados

● **Cedro**	● **Pomelo**
● **Lavanda**	● **Romero**
● **Manzanilla romana**	● **Salvia esclarea**
● **Melisa**	● **Ylang Ylang**
● **Milenrama**	

Remedios de aromaterapia

● Es muy recomendable efectuar un masaje al cuero cabelludo con cualquiera de las recetas que te proporcionamos. Con ello consigues un triple efecto, pues no sólo ayudas a que penetren en él los aceites esenciales, sino que, además, activas la circulación del cuero cabelludo y oxigenas los folículos pilosos que se encuentran debajo de la piel.

● Para obtener un buen aceite de masaje mezcla 10 ml de aceite de pepitas de uva con 2 gotas de cualquiera de los aceites de la lista anterior. Aplícatelo sobre el cuero cabelludo con un suave masaje y deja la mezcla una hora u hora y media. Después, lávate el cabello con tu champú habitual para aclararlo.

● Otro aceite de masaje muy útil es: mezcla 45 ml de aceite de pepitas de uva, 45 ml de aceite de germen de trigo y 7 u 8 gotas de romero y de lavanda.

● Como práctica habitual, es recomendable que añadas algunas gotas de los aceites mencionados al champú o al agua del aclarado cada vez que te laves el cabello.

Amenorrea

Descripción

Se denomina «amenorrea» a la ausencia anormal de menstruación que puede padecer una mujer en su época fértil, es decir, entre la pubertad y la menopausia. Los motivos pueden ser varios, como anorexia, depresión, shock traumático, estrés o determinadas enfermedades.

No debe preocuparte la amenorrea si te desaparece la menstruación durante 3 o 4 meses porque quizá tu organismo ha decidido tomarse un descanso. Sin embargo, es bueno que intentes recuperar el ritmo normal de tu cuerpo y tu estado emocional.

Además, es conveniente tener un ciclo menstrual regular para poder quedarte embarazada sin dificultades, si ése es tu deseo.

Las claves para recuperarte son una comida equilibrada, aire libre, ejercicio y tratar de controlar el estrés emocional.

Remedios de aromaterapia

● Date masajes con este aceite: 20 ml de aceite de pepita de uva, 2 gotas de aceite de germen de trigo, 4 de salvia esclarea y 4 de manzanilla. También puedes sustituir esos dos aceites esenciales por 8 gotas de ciprés o de melisa. Todos ellos estimulan y regulan.

● También puedes tomar un baño de agua bien caliente (no debe sobrepasar los 15 minutos) al que habrás añadido unas gotas de alguno de los aceites que te hemos recomendado.

Aceites esenciales recomendados

- Angélica
- Apio
- Canela de Ceilán
- Ciprés
- Hinojo
- Hisopo
- Manzanilla
- Melisa
- Mirra
- Rosa
- Salvia esclarea
- Zanahoria

Amigdalitis

Descripción

La inflamación de la garganta puede tener su origen en una infección vírica o bacteriana. Se inflaman las glándulas linfáticas que están situadas en la parte posterior de la garganta y a ambos lados de la misma: las amígdalas.

Los motivos pueden ser muchos, desde una bajada de defensas por estrés a una dieta incorrecta o un resfriado mal curado.

Suele dar bastante fiebre, dolor de garganta, inflamación de la parte posterior de la cavidad bucal, dolor al tragar, mareos, dolor de cabeza y una inflamación general de todos los ganglios del cuerpo.

Remedios de aromaterapia

● Lo fundamental en las anginas, nombre popular con el que se denomina esta dolencia, es prevenir su aparición potenciando las defensas. Para prevenir las infecciones invernales, puedes hacer gárgaras por la mañana y por la noche con un vaso de agua al que hayas añadido una gota de árbol del té, cajeput, geranio, lavanda, niauli, pimienta, rosa o romero.

● Si ya te duele la garganta, puedes poner en el agua de las gárgaras 2 gotas de cualquiera del resto aceites de la lista que te proponemos antes y realizarlas de cinco a seis veces al día.

● También puedes hacer un aceite de masaje con 50 ml de aceite de almendras dulces y 8 gotas de árbol del

té, lavanda o limón. Date un masaje suave en la zona de la garganta por la mañana y por la noche.

Aceites esenciales recomendados

- Apio
- Árbol del té
- Cajeput
- Canela de Ceilán
- Cedro
- Eucalipto
- Geranio
- Hisopo
- Incienso
- Jengibre
- Lavanda
- Limón
- Mejorana
- Menta
- Mirra
- Niauli
- Pino
- Pimienta
- Sándalo
- Romero
- Rosa
- Salvia esclarea

Anemia

Descripción

Muchas personas padecen anemia en alguna ocasión, ya que se trata de la enfermedad de la sangre más corriente. Consiste en tener unos niveles bajos de hemoglobina, que es la sustancia que aporta oxígeno a los tejidos.

Los síntomas habituales son falta de apetito, palidez, cansancio, vértigos, dolor generalizado, uñas quebradizas y debilidad.

La anemia más habitual es la de falta de hierro (clorosis), uno de los componentes básicos de la hemoglobina. La dieta juega un papel muy importante en la recuperación y debe consistir en una alimentación rica en vitaminas del grupo B, sobre todo la B12, y ácido fólico. El zumo de naranja, las zanahorias, la col, el ginseng o las manzanas son algunos alimentos sanos que te ayudarán a tener más vitaminas y a fijar mejor el hierro.

Remedios de aromaterapia

● Revitaliza tu organismo con un masaje con este aceite: 50 ml de aceite

Aceites esenciales recomendados

- Angélica
- Lavanda
- Melisa
- Lima
- Manzanilla alemana
- Mirra
- Pimienta negra
- Romero
- Zanahoria

de pepita de uva, 2 gotas de aceite de germen de trigo, 3 de melisa y 3 de lavanda. Aplícatelo una vez al día y sentirás cómo recobras la energía.

● Otro remedio que da muy buenos resultados es darte una fricción con aceite esencial de lavanda o de melisa aplicado directamente en la planta de los pies y en el dorso de las manos. Puedes escoger uno u otro aceite o alternarlos. Este remedio también da muy buenos resultados en los casos de anorexia nerviosa.

Artritis

Descripción

Se denomina «artritis» a la inflamación de las articulaciones, pero existen varios tipos. La artritis reumatoide es una inflamación del tejido conjuntivo que rodea las articulaciones; es crónica y produce dolor, hinchazón y rigidez.

Parece ser que suele ser simétrica y que también produce cansancio, fiebre, anemia y pérdida de peso. Afecta más a mujeres que a hombres y se desconoce su origen.

La osteoartritis es un desgaste progresivo del cartílago de la articulación por la edad o los esfuerzos continuados. Provoca una reducción de la movilidad debido al intenso dolor que produce el rozamiento.

El tejido conjuntivo se inflama y produce líquido que, a su vez, provoca una hinchazón.

La aromaterapia puede ayudar a las personas que padecen artritis porque relaja los músculos y alivia el dolor, pero, en cambio, no puede renovar el cartílago. En este caso se trataría de

Aceites esenciales recomendados

● Cajeput
● Enebro
● Eucalipto
● Lavanda
● Manzanilla romana
● Mejorana
● Pimienta negra
● Pino
● Romero
● Zanahoria

un tratamiento paliativo, que ayuda a tener una mejor calidad de vida, pero no curativo.

Remedios de aromaterapia

● Los baños ayudan a relajar la musculatura y aliviar el dolor.

Añade al agua caliente 1 gota de ciprés, otra de enebro y otra de pino. Si te duele mucho, puedes añadir 2 gotas de cajeput o de manzanilla romana.

● Otro buen remedio son las compresas calientes sobre las zonas que provocan dolor. Añade a 15 ml de aceite portador de zanahoria 2 gotas de pino, 2 de ciprés y una de lavanda. Empapa con ello una toalla mojada con agua muy caliente y aplícatela por la mañana y por la noche.

● Para aliviar la inflamación y el dolor también puedes utilizar compresas frías a las que hayas añadido unas gotas de lavanda, manzanilla romana o milenrama.

● Si necesitas reducir la rigidez, ponte compresas calientes con 2 gotas de romero, mejorana o pimienta negra.

● Un buen aceite de masaje puede estar hecho a base de 60 ml de aceite de almendras dulces y 1 gota de romero, eucalipto, manzanilla romana y lavanda. Es una mezcla calmante y antiinflamatoria que puedes aplicarte con regularidad como prevención en las zonas que más acostumbran a dolerte.

Asma

Descripción

Se define como «asma» a los espasmos musculares que tienen lugar en los alvéolos, situados en los pulmones, que estrechan los bronquios debido a la inflamación y la mucosidad. Tiene como síntomas principales el ahogo, los pitos y la tos.

El origen de esta enfermedad, que suele ser crónica, es alérgico en la mayoría de los casos, aunque también lo puede provocar el tabaco. Es determinante conocer el alérgeno que provoca la inflamación y los espasmos, aunque no siempre consigue identificarse. En cualquier caso, conviene evitar los animales de compañía y el contacto con el polen y mantener la casa lo más libre de ácaros posible.

Las personas de temperamento nervioso están más predispuestas a padecer crisis de asma. De hecho, existe lo que se denomina «asma por estrés», y no es otra cosa que un ataque provocado por un shock traumático o un disgusto. También existe el asma por esfuerzo, que se presenta cuando se practica un deporte o un ejercicio excesivo.

Aceites esenciales recomendados

- Albahaca
- Angélica
- Bergamota
- Cajeput
- Cedro
- Ciprés
- Eucalipto
- Geranio
- Hinojo
- Incienso
- Jazmín
- Lima
- Limón
- Mejorana
- Melisa
- Menta
- Niauli
- Palisandro
- Salvia esclarea
- Sándalo
- Tomillo

La aromaterapia no es la mejor opción natural para tratar el asma. Lo cierto es que las inhalaciones con aceites esenciales pueden agravar un ataque de asma, por lo que, obviamente, no se recomiendan en ningún caso. Además, no siempre podemos tener garantías de la pureza de los mismos, con lo que los inconvenientes que se presentan son más numerosos que las ventajas.

Debes utilizar los aceites esenciales siempre con moderación y sólo en los quemadores de esencias, en los aceites de masaje o unas cuantas gotas en un pañuelo. Nunca debes, sin embargo, asociarlo con vapor caliente para evitar agravar los espasmos, por lo que no te recomendamos ni las inhalaciones ni los baños calientes.

Remedios de aromaterapia

- Mezcla 3 o 4 gotas de lavanda, salvia esclarea o incienso con 25 ml de aceite de almendras dulces. Masajea la espalda con movimientos amplios y suaves desde la base hasta la nuca siguiendo la columna vertebral y baja las manos por los laterales.

- Mezcla 3 gotas de cedro, 1 de cajeput y 2 de menta en 15 ml de aceite portador y masajea el pecho, la garganta y la zona alta de la espalda. Debes hacer los movimientos ascendentes para ayudarte a eliminar la mucosidad.

- Vierte unas gotas de cajeput, cedro o eucalipto y realiza tres inhalaciones suaves, pero profundas. En caso de ataque agudo, pon una sola gota de cajeput en la palma de la mano, frótate ambas y cúbrete con ellas la boca y la nariz mientras inhalas profundamente. El cajeput es antiespasmódico y te ayudará a recuperar el ritmo normal de la respiración.

Bronquitis

Descripción

La enfermedad provoca una inflamación de los bronquios y puede ser aguda o crónica. En el primer caso viene provocada por una infección mal curada causada por virus o bacterias, es decir, un resfriado que no se ha curado del todo puede desembocar en una bronquitis aguda.

En el segundo caso, el motivo es la irritación de los bronquios, y las causas pueden ser varias, como tabaquismo, contaminación o, incluso, alérgenos.

En ambos casos, los síntomas son tos, fiebre, dolor en el pecho y flemas al toser. Si no se cura totalmente, llega a desembocar en una pulmonía, que puede ser fatal en el caso de ancianos y niños.

También conviene corregir los malos hábitos posturales, los cambios de clima y la tensión nerviosa, ya que suelen incidir de forma importante en el origen y desarrollo de esta afección pulmonar. Otro factor importante a tener en cuenta es la práctica de ejercicio, que resulta muy beneficiosa como prevención.

Remedios de aromaterapia

- La bronquitis crónica mejora con inhalaciones a base de aceite esencial de salvia, menta y lavanda.

- Para reducir la mucosidad y aliviar la congestión puedes darte un masaje en la espalda, el pecho y la garganta con una mezcla de aceites esenciales que tengan propiedades expectorantes. Por ejemplo, 4 o 5 gotas de menta, lavanda y salvia esclarea en 25 ml de aceite de almendras dulces o, si lo prefieres, de angélica, hisopo y tomillo.

- Si la tos es seca, haz vahos para aliviar la irritación. Añade 6 gotas de sándalo y/o de incienso en un bol de agua muy caliente y haz inhalaciones durante cinco o diez minutos. Si existe infección, pon 6 gotas de árbol del té, hisopo, tomillo y/o eucalipto. Repítelo dos veces al día.

- También es muy adecuado poner en un quemador de esencias unas gotas de árbol del té, eucalipto o tomillo para combatir la infección. Durante la noche, te ayudará a respirar mejor y a no toser si utilizas cedro o mejorana. Si lo prefieres, puedes poner unas gotas en un pañuelo y tenerlo a mano para inhalarlo varias veces durante el día.

- Los baños calientes son muy recomendables para recuperarse de la bronquitis. Puedes añadir 8 o 10 gotas de cualquiera de los aceites esenciales que te proponemos antes. Sin embargo, si tienes fiebre, el agua del baño debe ser fría.

Aceites esenciales recomendados

- **Árbol del té**
- **Bergamota**
- **Cajeput**
- **Cedro**
- **Eucalipto**
- **Hisopo**
- **Incienso**
- **Lavanda**
- **Mejorana**
- **Menta**
- **Orégano**
- **Pino**
- **Romero**
- **Sándalo**
- **Tomillo**

Bursitis

Descripción

Es una enfermedad de origen reumático muy frecuente. Se produce en las articulaciones, donde la pequeña bolsa de líquido sinovial que se encuentra entre ambos huesos se inflama y duele. El origen puede ser una infección, un accidente o un movimiento repetido en exceso. Un ejemplo claro de esta enfermedad es el codo de tenista. Los aceites esenciales contribuyen a reducir la inflamación y el dolor, aunque no curan la afección.

Remedios de aromaterapia

● Mezcla en 10 ml de aceite de almendras dulces, 10 gotas de aceite de germen de trigo, y 5 gotas de cajeput, eucalipto, geranio o romero. Con la loción date una suave fricción sobre la zona afectada dos veces al día. También puedes utilizar mejorana, clavo o pino.

Aceites esenciales recomendados

● Cajeput	● Manzanilla
● Clavo	● Mejorana
● Eucalipto	● Milenrama
● Geranio	● Pino

● Si la articulación está muy hinchada, aplícate compresas frías a las que hayas añadido unas gotas de lavanda o de manzanilla, que tienen grandes propiedades antiinflamatorias.

Calambres

Descripción

Son varios los tipos de calambres o espasmos que pueden padecerse.
El origen es variado, y puede ser, por ejemplo, exceso de ejercicio, la menstruación, el síndrome premenstrual, la mala circulación o, incluso, una deficiencia vitamínica.

La aromaterapia puede ayudarte porque contribuye a relajar la tensión muscular y, a vez, calma el dolor. Además, como en muchas ocasiones los calambres se producen de noche, los aceites esenciales también pueden ofrecerte la ventaja de ayudarte a volver a conciliar el sueño de una forma correcta.

Remedios de aromaterapia

● Para relajar los calambres, masajea la zona con una mezcla concentrada que contenga 25 ml de aceite de avellanas y 5 gotas de mejorana, romero y lavanda, más 3 gotas de pimienta negra o jengibre.

● Para prevenir los calambres después de practicar ejercicio, mezcla 50 ml de aceite de pepita de uva con 8 o 10 gotas de romero, mejorana y lavanda. Luego, date una ducha caliente y masajea generosamente todo el cuerpo, deteniéndote en los músculos que más hayas trabajado durante el ejercicio.

● Si los calambres te los produce la menstruación o un dolor de estómago, aplícate una compresa caliente a la que le hayas añadido unas gotas de mejorana o salvia esclarea. Pon una bolsa de agua caliente encima para poder mantenerla con temperatura elevada durante media hora.

● Un buen baño caliente con 8 o 10 gotas de cualquiera de los aceites que te hemos relacionado antes te ayudará después de una sesión de ejercicio intenso.

Aceites esenciales recomendados

● Albahaca	● Niauli
● Ciprés	● Pino
● Eucalipto	● Pomelo
● Jengibre	● Romero
● Limón	● Salvia
● Mandarina	esclarea
● Mejorana	● Vetiver

Cefalea

Descripción

Con el nombre de «cefalea» se denomina al dolor de cabeza sea cual sea su origen. Las causas que pueden provocar los molestos dolores de cabeza pueden ser muy variadas. Por ejemplo, es muy frecuente sufrir cafaleas a causa de la ansiedad o la vista cansada. Asimismo, la fiebre, la fatiga mental, los resfriados, una insolación, los trastornos digestivos (y entre éstos los más relacionados con las cefaleas es el estreñimiento) y la sinusitis son causas muy comunes de esta molestia que afecta a tantos millones de personas en todo el mundo. Además, entre las mujeres contribuye mucho el cambio hormonal que cada mes padecen.

Remedios de aromaterapia

● Para combatir los molestos dolores de cabeza es muy beneficioso darse un masaje en las sienes (con especial atención a la zona de alrededor de los ojos) y en la nuca, ya que en muchas ocasiones se dan cefaleas tensionales fruto de las continuadas malas posturas frente al ordenador. Los aceites esenciales pueden contribuir a relajar y desinflamar la zona. Para ello, mezcla en 5 ml de aceite de pepitas de uva una gota de albahaca, enebro, eucalipto, manzanilla, menta, lavanda, mejorana, melisa, romero o salvia esclarea. También puede aliviarte poner en un pañuelo unas gotas de rosa, lavanda o melisa para inhalarlo directamente.

● Si el motivo del dolor de cabeza es la vista cansada, por ejemplo, puedes ponerte sobre los ojos una compresa ocular a la que hayas añadido una gota de manzanilla, rosa, lavanda o romero. Ten en cuenta que has de añadir la gota en el agua en la que mojes la compresa para que no te apliques el aceite esencial directamente sobre la delicada piel del párpado. recuerda que puede ser muy irritnate si entra en contacot con tus ojos. Échate en una habitación a oscuras e intenta relajarte.

● Si tu cefalea está provocada por una sinusitis o un resfriado, lo mejor es hacer inhalaciones con agua caliente y unas gotas de árbol del té, eucalipto, menta, mejorana, cajeput, geranio o niauli.

● Cuando el motivo es una buena resaca, opta por un baño caliente y largo con algunas gotas de pimienta negra o enebro.

Aceites esenciales recomendados

- Albahaca
- Angélica
- Árbol del té
- Cajeput
- Enebro
- Eucalipto
- Geranio
- Incienso
- Lavanda
- Lemongrass
- Limón
- Manzanilla
- Melisa
- Mejorana
- Menta
- Niauli
- Pimienta negra
- Romero
- Rosa
- Salvia esclarea

● También puedes echarte un rato en tu habitación y poner en el quemador de esencias unas gotas de aceite esencial. Si quieres despejar la cabeza, utiliza angélica, enebro, eucalipto, lemongrass o romero; si necesitas calmar el dolor y relajarte, son mejores la lavanda, manzanilla romana, romero, rosa y mejorana. En el caso de que necesites rebajar la tensión nerviosa, opta por limón, melisa, incienso o salvia esclarea.

Ciática

Descripción

El dolor de ciática viene producido por una inflamación del nervio ciático y puede extenderse desde la parte inferior de la espalda hasta la parte exterior del muslo, pasando por las nalgas. Esta inflamación suele ser ocasionada por una presión que una vértebra realiza sobre el nervio, que acostumbra a ser consecuencia de un gesto brusco, levantar un peso, girarse o después del parto. La aromaterapia relaja la musculatura y alivia el dolor.

Remedios de aromaterapia

● Mezcla 15 ml de aceite de pepitas de uva con 2 gotas del aceite que prefieras de la lista anterior. Date un suave masaje en las zonas doloridas y mantenlas luego calientes aplicando

calor local, con una manta, por ejemplo. También alivia tomar un baño caliente al que hayas añadido unas gotas de los aceites esenciales anteriores.

Cistitis

Descripción

La cistitis es una infección bacteriana de la vejiga que se ha producido por la entrada de bacterias a través de la uretra. Los síntomas de esta molesta afección son ganas continuas de miccionar, escozor y ardor al orinar, e incluso fiebre. Si se hace sangre en la orina hay que acudir al médico.

Se produce mucho más a menudo en mujeres que en hombres, ya que el tracto urinario es mucho más corto y, por lo tanto más fácil el acceso, además de estar mucho más próximo el meato urinario a la zona perianal. Además, las píldoras anticonceptivas predisponen a padecerla porque alteran la flora intestinal.

Otros motivos que pueden provocar cistitis son el estreñimiento, un resfriado mal curado, el embarazo, una bronquitis o, incluso, el olor de la pintura fresca.

Existe la dolencia denominada «cistitis de la luna de miel», que está provocada por coitos muy frecuentes y que puede provocar una anormal proliferación de bacterias en la uretra o una inflamación de la misma.

Remedios de aromaterapia

● Los baños de asiento resultan muy beneficiosos. Añade 4 o 5 gotas del aceite esencial que prefieras de la lista anterior y permanece unos 20 minutos. Es mejor que el agua sea fría porque el calor puede irritar todavía más la vejiga. Estos baños están muy indicados como prevención después del coito, aunque pueden limitarse a un lavado breve.

Aceites esenciales recomendados

● Angélica	● Pimienta
● Apio	negra
● Menta	● Sándalo
● Orégano	● Tomillo

Aceites esenciales recomendados

● Angélica	● Incienso
● Apio	● Lavanda
● Árbol del té	● Manzanilla
● Bergamota	● Milenrama
● Cajeput	● Niauli
● Cedro	● Palmarrosa
● Enebro	● Romillo
● Eucalipto	● Sándalo

● Puedes darte un masaje con 25 ml de aceite de almendras dulces y 3 gotas de árbol del té, sándalo y bergamota o lavanda. Aplícatelo en el bajo vientre o en la espalda un par de veces al día.

● Puedes mojar un algodón en 100 ml de agua hervida y fría a la que hayas añadido 10 o 12 gotas del antiséptico árbol del té, y lavarte bien la vulva y la entrada de la uretra.

● Date fricciones en las plantas de los pies y el dorso de las manos, el vientre y la parte posterior de la espalda con 25 ml de aceite de pepitas de uva y 5 gotas de cajeput, enebro, niauli, pino o sándalo.

Cólico intestinal

Descripción

El cólico intestinal es un dolor agudo en el vientre provocado por la fermentación de determinados alimentos en el intestino, como, por ejemplo, el queso curado u otros productos lácteos. Asismimo, también puede estar causado por una fuerte gripe intestinal o una intolerancia alimentaria.

El cólico intestinal se produce con mucha frecuencia en los bebés, pero en su caso se debe a que su intestino todavía está inmaduro y no digiere bien las pequeñas bolsas de aire que traga el niño al mamar o al tomar el biberón, por ejemplo. En este caso se denomina «cólico infantil» o «del lactante». Por otro lado, conviene descartar que el niño tenga intolerancia a la lactosa para asegurarse de que no se trata de una reacción inflamatoria.

Remedios de aromaterapia

● En el caso de los cólicos de los niños es muy recomendable darles un masaje circular y suave en el vientre en el sentido de las agujas del reloj con 50 ml de aceite de almendras dulces, 2 gotas de aceite de germen de trigo y 12 gotas de alcaravea. Debes calentar el aceite de masaje un poco antes de aplicárselo. Bastará, simplemente, con poner la botella bajo el grifo del agua caliente.

● Otro aceite de masaje especialmente indicado para niños es añadir 2 gotas de mejorana y de manzanilla romana en 60 ml de aceite de almen-dras dulces. Luego, procedes igual que en el punto anterior.

● Es importante que el bebé no esté nervioso. Para ello, puedes poner en su habitación un algodón sobre el radiador embebido de aceite de pino y naranja, o de lavanda y naranja. Así conseguirá un ambiente sedante.

● En los adultos, puedes elaborar un aceite de masaje con cualquiera de los que te proponemos en la lista anterior. Es importante que el aceite esté tibio y que se dé en movimientos circulares en el vientre, en el sentido de las agujas del reloj.

Aceites esenciales recomendados

● Alcaravea
● Angélica
● Bergamota
● Cardamomo
● Clavo
● Enebro
● Hinojo
● Hisopo
● Lavanda
● Manzanilla
● Mejorana
● Melisa
● Menta
● Milenrama
● Naranja
● Neroli
● Orégano
● Petit-grain
● Pimienta negra
● Pino
● Salvia esclarea
● Zanahoria

Dermatitis y eccema

Descripción

El origen de la dermatitis y el eccema suele ser alérgico, aunque también puede provocarla el estrés, el agua corriente, la comida o la contaminación del aire.

Son dos afecciones cutáneas muy parecidas que tienen como síntomas la inflamación de la piel y la formación de erupciones que se hinchan, pican, duelen y pueden derivar en ampollas y costras supurantes. La piel se erosiona y pierde su textura natural, por lo que se vuelve áspera, gruesa y escamosa. Además, suelen salir manchas.

La dermatitis puede venir provocada por estrés, y el eccema es una afección cutánea producida por el contacto con un agente irritante, como el agua del grifo, los agentes químicos de los cosméticos, los metales o la contaminación. El estrés y la ansiedad lo agravan.

Existe la denominada «dermatitis del pañal», que padecen los bebés y que está producida por el contacto de la orina con la piel y la falta de aireación que provoca el pañal.

Aceites esenciales recomendados

- Angélica
- Cedro
- Bergamota
- Ciprés
- Geranio
- Incienso
- Lavanda
- Mirra
- Pachulí
- Manzanilla
- Pimienta negra
- Pino
- Zanahoria

Algunos aceites esenciales pueden provocar alergia y no están indicados. Por eso es conveniente hacer una prueba en una zona pequeña de piel sana antes de aplicarlo sobre la dermatitis o el eccema.

Remedios de aromaterapia

- Haz una loción con 15 ml de aceite de almendras dulces, 5 gotas de aceite de germen de trigo, 2 de manzanilla y 1 de zanahoria. Puedes utilizar otros aceites esenciales, como lavanda, cedro o niauli, pero que el conjunto no supere las 3 gotas.
- Otra loción muy beneficiosa para combatir la dermatitis y el eccema se compone de los mismos aceites portadores, pero con 3 gotas de mirra o de lavanda. Está muy indicada para reducir la inflamación.
- Mezcla 20 ml de aceite de pepita de uva con 4 gotas de pimienta negra. Si te lo aplicas, conseguirás activar la cicatrización.
- Para combatir la dermatitis de la cara y el cuello haz una loción con 5 ml de aceite de almendras dulces, 3 gotas de aceite de germen de trigo y 1 de incienso.

Diarrea

Descripción

Este trastorno digestivo se manifiesta por heces de textura líquida y muy frecuentes, que provocan dolores abdominales e irritación de los intestinos. Puede cursar con náusea, vómitos y fiebre.

Los orígenes pueden ser de lo más variado, desde físicos a emocionales. Estrés, ansiedad, medicamentos, comida en mal estado, intolerancias alimentarias, bacterias, virus de la gripe...

Conviene conocer el origen y seguir una dieta muy suave, además de reponer los líquidos perdidos a base de agua y otros preparados específicos para prevenir la deshidratación.

- Si el origen es el estrés, un buen remedio es que tomes un baño caliente al que hayas añadido 3 gotas de geranio, lavanda y jengibre. Así recuperarás la calma.

- Si el problema son la fiebre y las náuseas, sumérgete en un baño frío con 3 gotas de menta, 3 de árbol del té o tomillo y 3 de jengibre.

- También es beneficioso que te hagas un masaje circular en el abdomen en el sentido de las agujas del reloj con un aceite a base de 25 ml de aceite de pepita de uva y 4 gotas de lavanda, jengibre y geranio. Si crees que se trata de una infección bacteriana o vírica, añade 2 gotas de árbol del té o de tomillo a la mezcla.

Aceites esenciales recomendados

● Árbol del té	● Limón
● Ciprés	● Manzanilla
● Clavo	● Menta
● Enebro	● Orégano
● Geranio	● Sándalo
● Jengibre	● Tomillo
● Lavanda	

- Aplica calor al vientre con una compresa caliente empapada en agua y algunas gotas de cualquiera de los aceites esenciales que te hemos relacionado antes.

- Un aceite de masaje astringente y calmante se puede componer de 15 ml de aceite de almendras dulces, 3 gotas de árbol del té o menta y 2 de sándalo o geranio.

Dismenorrea

Descripción

Se denomina así a los dolores, calambres, náuseas y vómitos que tienen lugar en los primeros días de la regla y que se originan por un desequilibrio hormonal que tiene lugar en ese proceso en muchas mujeres jóvenes.

Si la dismenorrea aparece en la edad adulta su origen es bien distinto, ya que la provoca algún tipo de enfermedad pélvica inflamatoria, una inflamación de la pelvis o un fibroma.

Es imprescindible acudir al ginecólogo para conocer el origen de esta dismenorrea que aparece de forma repentina después de años de menstruaciones normales y con pocas molestias.

- Date un baño no muy caliente al que le hayas añadido unas gotas de ciprés, manzanilla o caléndula. Y recuerda que relajarte también te puede ayudar a suavizar los síntomas que padeces.

- Aplícate compresas calientes a las que hayas añadido algunas gotas de cualquiera de los aceites esenciales que te mencionamos antes.

- Puedes darte un masaje en el vientre y la parte baja de la espalda con 25 ml de aceite de almendras dulces, 15 ml de aceite de onagra y 4 o 5 gotas de salvia esclarea, mejorana y lavanda.

Aceites esenciales recomendados

● Alcaravea	● Mejorana
● Caléndula	● Melisa
● Cardamomo	● Menta
● Ciprés	● Milenrama
● Geranio	● Neroli
● Jengibre	● Romero
● Incienso	● Rosa
● Lavanda	● Zanahoria
● Manzanilla	

Dispepsia

Descripción

La dispepsia es un trastorno crónico que se caracteriza por problemas a la hora de hacer la digestión, que se vuelve lenta y pesada. Acidez, flatulencia, cólico, dolor abdominal... son otros de los síntomas. El origen suele ser de tipo nervioso, como comer con ansiedad o el estrés.

Comer mucho o comer deprisa son dos formas de provocar una buena dispepsia, además de alimentos en mal estado o intolerancias alimentarias.

Aceites esenciales recomendados

• Albahaca	• Mejorana
• Alcaravea	• Melisa
• Angélica	• Menta
• Cardamomo	• Neroli
• Enebro	• Palmarrosa
• Hinojo	• Petit-grain
• Jengibre	• Pimienta
• Laurel	negra
• Lavanda	• Rosa
• Lemongrass	• Salvia
• Limón	esclarea
• Manzanilla	• Zanahoria

Remedios de aromaterapia

• Si uno de los síntomas principales de tu dispepsia es que sientes náuseas, pon unas gotas de menta en un pañuelo o en un quemador de esencias.

• Si, en cambio, la indigestión es por tensión nerviosa, date un baño caliente al que hayas añadido 8 o 10 gotas en total de lavanda, manzanilla y salvia esclarea.

• También puedes colocarte un paño caliente en el vientre mojado en agua caliente con algunas gotas de lavanda o manzanilla. Ponte una botella de agua caliente encima para mantener el calor hasta que se te haya calmado el dolor.

• Un buen aceite de masaje en estos casos se compone de 25 ml de aceite de almendras dulces, 3 gotas de lavanda, 3 de manzanilla y 3 de menta. Si a la dispepsia la acompaña flatulencia, también puedes añadir 2 gotas de hinojo.

• Otro aceite de masaje que da muy buenos resultados contiene 15 ml de aceite de pepita de uva, 3 gotas de menta, 1 de enebro y 2 de alcaravea.

Edema

Descripción

Como «edema» entendemos la anormal retención de líquidos que se produce en alguna parte del cuerpo. Un ejemplo típico de edema es la retención de líquidos que algunas mujeres pueden padecer tan a menudo durante el síndrome premenstrual y el embarazo.

Sin embargo, también pueden producirlo algunas alergias, hipertensión, enfermedades renales, problemas de corazón, permanecer mucho rato de pie o estar sentado demasiadas horas. En estos últimos casos, el edema se localiza en las piernas o en las manos. También suele producirse alrededor de los ojos, formando bolsas.

Te recomendamos que evites el uso de la aromaterapia durante el embarazo porque muchos aceites esenciales tienen propiedades emenagogas, es decir, que regulan el ciclo menstrual, y podrían resultar abortivos.

Remedios de aromaterapia

• Date un baño tibio al que hayas añadido 8 o 10 gotas de cualquiera de los aceites esenciales que te mencionamos antes.

● Prepara un aceite de masaje con 25 ml de aceite de almendras dulces, 3 gotas de romero, 3 de geranio y 3 de hinojo. Date con él un masaje en la zona concreta, e intenta que algún terapeuta te realice un masaje linfático, que da extraordinarios resultados en la retención de líquidos y es muy relajante.

● También es recomendable que te des una fricción enérgica en las plantas de los pies con la mezcla de 15 ml de aceite de pepita de uva y 2 o 3 gotas de ciprés o de romero.

● Asimismo, es muy beneficioso darse una suave fricción en el plexo

solar, el vientre, el dorso de las manos y las plantas de los pies por la mañana y por la noche con una mezcla que contenga 50 ml de aceite de almendras dulces, 5 gotas de aceite de germen de trigo y 8 o 10 gotas de cualquiera de los siguientes aceites esenciales: albahaca, cedro, ciprés o lavanda.

● Para las piernas hinchadas, te recomendamos un masaje con movimientos ascendentes con 50 ml de aceite de almendras dulces, 5 gotas de aceite de germen de trigo, 6 gotas de ciprés y 6 gotas de limón.

Embarazo

Descripción

Es muy normal que sientas diversas molestias asociadas con el embarazo. Y algunos aceites esenciales pueden resultarte de gran ayuda durante todo el periodo de gestación y el parto. Sin embargo, existen otros que sólo puedes utilizar a partir del cuarto mes de embarazo y otros que debes evitar completamente porque regulan el ciclo menstrual o suben la presión sanguínea.

En la descripción de los aceites esenciales que te damos en el presente libro

Aceites esenciales recomendados

Albahaca	Mandarina
Angélica	Naranja
Apio	Neroli
Cedro	Petit-grain
Enebro	Romero
Geranio	Salvia esclarea
Hinojo	Tomillo
Lavanda	Zanahoria
Manzanilla	

Aceites prohibidos durante el embarazo

Abedul	Enebro
Ajedrea	Hinojo
Albahaca	Hisopo
Alcanfor blanco	Mejorana
Angélica	Melisa
Apio	Milenrama
Canela de Ceilán	Mirra
Cedro	Orégano
Ciprés	Pino
Citronela	Salvia esclarea
Clavo	Tomillo
	Zanahoria

siempre te advertimos de esta circunstancia para que no te equivoques. No obstante, no dudes de que aquellos aceites esenciales que resultan beneficiosos durante el embarazo y los meses siguientes al parto representan un magnífico reconstituyente natural, te ayudan a superar las molestias típicas del

Aceites recomendados a partir del quinto mes

Benjuí	Petit-grain
Cajeput	Rosa
Menta	Ylang ylang

embarazo y te aportan bienestar. Puedes utilizarlos tanto en quemador de esencias, como en el baño o en aceite de masaje, siempre diluidos a la mitad de la dosis habitual, pero los masajes conviene que te los des sólo a partir del quinto mes de embarazo.

Te recomendamos que, en todos los casos, recurras al asesoramiento de un aromaterapeuta experto de toda tu confianza.

Remedios de aromaterapia

● Puedes prevenir la aparición de las antiestéticas estrías si te das un suave masaje por la mañana y por la noche en el vientre y los pechos. Conviene que empieces como muy tarde a partir del cuarto mes. Para ello, mezcla 15 ml de aceite de almendras dulces, 15 ml de aceite de germen de trigo y 25 ml de aceite de jojoba. Después añade hasta un máximo de 10 gotas de una combinación de varios aceites esenciales, como rosa, neroli, incienso y lavanda; o uno sólo si así lo prefieres.

● Una gran solución para cuando te encuentras cansada y dolorida, sobre todo al final del embarazo, es darte un

Aceites recomendados durante todo el embarazo

● Alcaravea	● Naranja amarga
● Bergamota	
● Cardamomo	● Naranja dulce
● Geranio	
● Incienso	● Neroli
● Jengibre	● Pachulí
● Lavanda	● Pomelo
● Mandarina	● Sándalo
● Manzanilla	● Vetiver

Aceites recomendados en el parto (En quemador de esencias)

Primeras Contracciones:

● Geranio	● Neroli
● Incienso	● Rosa
● Lavanda	● Ylang ylang

Dilatación Completa:

● Jazmín
● Salvia esclarea

Después del parto:

● Jazmín	● Neroli
● Rosa	● Ylang ylang

baño caliente al que hayas añadido 4 o 5 gotas de cualquiera de los aceites

esenciales que te recomendamos. Los que dan mejor resultado son la lavanda y la manzanilla, que puedes añadir a partes iguales.

● Para calmar el dolor de riñones, la ansiedad, la fatiga o la depresión posparto pueden serte de gran ayuda la rosa, el neroli, el petit-grain, la lavanda o la manzanilla. Mezcla en 50 ml de aceite de almendras, 5 gotas de aceite de germen de trigo y 10 o 12 gotas de cualquiera de esos aceites esenciales. Si tienes depresión posparto puedes recurrir a la bergamota, el neroli, la lavanda, la mandarina, la rosa, el vetiver e incluso el ylang ylang. Te pones un par de gotitas como si de tu perfume preferido se tratara o, si lo prefieres, las colocas en un quemador de esencias.

● Un remedio muy refrescante si tus últimos meses de embarazo coinciden con el verano es aplicarte compresas que hayas mojado en agua bien fría con unas gotas de lavanda o manzanilla. También pueden serte de gran ayuda las aguas florales de esos aceites esenciales, que te los puedes rociar por el rostro durante los calurosos días de verano tantas veces como quieras.

Espalda, dolor de

Descripción

Son muchas las causas que pueden provocar un dolor de espalda, uno de los principales problemas de salud de nuestro tiempo. Dejando aparte los casos de ciática o lumbago, que tratamos aparte por su importancia, existen muchos motivos que nada tienen que ver con lesiones físicas pero que pueden provocar un buen dolor de espalda.

Nos referimos, por ejemplo, a levantar pesos, andar con tacones altos, mantener una postura incorrecta, practicar un deporte sin calentar previamente los músculos o la tensión que generan las situaciones de estrés y que llega a producir contracturas musculares.

En estos casos, los baños calientes con aceites esenciales y los masajes resultan dos agradables formas de recuperar el bienestar. Además, puedes poner en tu almohada o en un quemador de esencias algunas gotas de cualquier aceite esencial relajante para que te ayude a conciliar el sueño y descansar toda la noche.

Aceites esenciales recomendados

- Albahaca
- Bergamota
- Enebro
- Eucalipto
- Jengibre
- Lavanda
- Manzanilla
- Mejorana
- Niauli
- Pimienta negra
- Pino
- Romero
- Salvia esclarea
- Vetiver

Remedios de aromaterapia

- El dolor muscular de espalda responde muy bien a un masaje local. Para ello, prepara 50 ml de aceite de pepita de uva con 5 gotas de lavanda, mejorana y romero. Los efectos son más potentes si te das el masaje después de una ducha o de un baño caliente.

- La prevención es una gran aliada. Así que hazte un masaje antes de ponerte a realizar cualquier deporte con 50 ml de aceite de almendras dulces al que hayas añadido 10 gotas de romero, 10 de pino y 5 de pimienta negra. Te ayudará a calentar bien los músculos y a evitar sobrecargas y tirones.

- Un baño caliente te devolverá de forma rápida y placentera el bienestar, y te ayudará a relajar los músculos doloridos. Añade al agua del baño 8 o 10 gotas de cualquiera de los aceites esenciales que te hemos recomendado anteriormente.

Estrés

Descripción

Cuando se padece estrés, en realidad se sufren diversas afecciones a la vez, tanto físicas como emocionales. El estrés en sí es necesario para el ser humano, ya que la adrenalina que segrega el organismo mantiene en estado de alerta cuando la ocasión lo requiere, como un peligro inminente o una situación de atención extrema.

El problema se presenta cuando la vida diaria nos somete a un estado de alerta continuada, por motivos laborales o personales, y la reacción del cuerpo se mantiene durante días, semanas o, incluso, meses. Entonces, los resultados sobre nuestra mente y nuestro organismo pueden llegar a ser muy graves: hipertensión, fatiga nerviosa, trastornos digestivos, ansiedad nerviosa, depresión, cefaleas, insomnio, debilidad del sistema inmunitario e, incluso, predisposición a enfermedades fatales, como cardiopatías o insuficiencia renal.

La aromaterapia puede ayudar a tratar la multitud de síntomas que esta «enfermedad moderna» te provoca, pero es imprescindible que el tratamiento vaya acompañado de unos cambios de hábitos decisivos. Por ejemplo, practicar ejercicio, si es posible al aire libre, ayuda a liberar tensiones físicas y emocionales. Es conveniente también cambiar el enfoque vital de los problemas, hacer las cosas controlando la ansiedad y no exigirse lo imposible. El yoga, la respiración profunda, la meditación o, incluso, la ayuda de un psicoterapeuta, son algu-

Aceites esenciales recomendados

- Albahaca
- Bergamota
- Incienso
- Jazmín
- Lavanda
- Mandarina
- Manzanilla
- Mejorana
- Melisa
- Naranja dulce
- Neroli
- Petit-grain
- Rosa
- Ylang ylang

nas herramientas muy útiles para tratar este problema tan importante y extendido en nuestra sociedad.

Remedios de aromaterapia

● El baño caliente es una manera muy efectiva de relajarse. Además, te ayudará mucho añadir unas gotas de cualquiera de los aceites esenciales anteriores. Así podrás conseguir reducir la tensión y la ansiedad, y tener un sueño reparador.

● También puedes frotarte unas gotas de lavanda o manzanilla mezcladas con 5 ml de aceite de almendras dulces en las manos y en las plantas de los pies. Hazlo por la mañana y antes de ir a dormir.

● El quemador de esencias contribuye a relajar el ambiente. Quema algunas gotas de lavanda, incienso o bergamota y, si lo deseas, añade ylang ylang, neroli o rosa para perfumar la estancia. También puedes poner unas gotas en un pañuelo y aspirarlas de vez en cuando.

● Es muy importante que programes un masaje corporal completo una vez a la semana como mínimo. En el aceite de masaje, que puede ser

de almendras dulces, conviene que añadas unas gotas de salvia esclarea, ylang ylang y lavanda. Te sentirás mucho mejor.

Estreñimiento

Descripción

El estreñimiento no es una enfermedad en sí, sino el síntoma de que existe algún problema físico o emocional que incide directamente en el tránsito intestinal. La dificultad y/o irregularidad de las deposiciones puede provocar, a su vez, un buen número de síntomas desagradables, como dolor de estómago, tensión nerviosa, cefaleas, fatiga y dolor al defecar.

Pueden provocar estreñimiento los días previos a la menstruación, el estrés, el embarazo o los efectos secundarios de algunos fármacos. Sin embargo, el causante más habitual suele ser una dieta baja en fibra y beber poca agua. Ambos factores contribuyen a que las heces se compacten y no puedan circular bien con el impulso de los movimientos peristálticos. Si padeces estreñimiento crónico pueden llegar a producirse hemorroides, celulitis, malestar general y cutis graso.

La dieta rica en fibra y un par de litros de agua diarios son de gran ayuda para combatir este problema intestinal. Además, los aceites esenciales también te pueden resultar de gran ayuda para combatir este molesto problema de salud.

Remedios de aromaterapia

● Mezcla 3 gotas de romero, 3 de menta y 3 de pimienta negra o jengibre con 25 ml de aceite de almendras dulces. Date dos veces al día un masaje circular suave en el abdomen en el sentido de las agujas del reloj.

Aceites esenciales recomendados

● Apio	● Limón
● Enebro	● Petit-grain
● Bergamota	● Jengibre
hinojo	● Lima
● Coriandro	● Romero
● Angélica	● Menta
● Mandarina	● Citronela
● Neroli	● Cardamomo
● Naranja	● Pimienta
● Palmarrosa	negra
● Geranio	● Zanahoria

● Date un baño caliente al que hayas añadido 8 o 10 gotas de cualquiera de los aceites esenciales que te hemos recomendado anteriormente.

● Aplícate una compresa tibia en el vientre que hayas empapado en agua caliente con algunas gotas de cualquiera de los aceites esenciales que te hemos recomendado anteriormente para aliviar las molestias. Para mantener el calor, ponte una botella de agua caliente encima de la compresa.

● Si tienes estrés, ayúdate a eliminar toxinas y a depurar el organismo con un masaje corporal completo a base de aceites esenciales depurativos y digestivos. Te recomendamos que añadas a 50 ml de aceite de pepita de uva 5 gotas de romero, 5 de neroli o petit-grain y 5 de hinojo o geranio.

Fatiga

Descripción

La fatiga se manifiesta en nuestra vida en muchas ocasiones y como consecuencia de las circunstancias más diversas. El cansancio puede venir provocado por un exceso de ejercicio o trabajo, pero también por una situación de nervios, un disgusto o una mala noche. También viene producido por el embarazo o los cambios hormonales. De ahí que la menopausia y la adolescencia sean dos épocas vitales es las que la persona puede sentirse fatigada sin un motivo aparente.

No sólo se manifiesta en la conocida sensación de agotamiento, sino que también puede provocar dolor de cabeza o incapacidad para mantenerse alerta. Si la situación de fatiga se prolonga durante días, conviene que vayas al médico.

Aceites esenciales recomendados

● Albahaca	● Lima
● Angélica	● Limón
● Árbol del té	● Manzanilla
● Bergamota	● Mirra
● Ciprés	● Naranja
● Enebro	● Neroli
● Eucalipto	● Pachulí
● Geranio	● Palisandro
● Hinojo	● Petit-grain
● Incienso	● Pino
● Jazmín	● Pomelo
● Jengibre	● Salvia
● Lavanda	esclarea
● Lemongrass	● Ylang ylang

Remedios de aromaterapia

● Los aceites esenciales sedantes pueden ayudarte cuando te invada el cansancio. Los más efectivos son la albahaca, la lavanda, el neroli o el petitgrain. Añade 3 o 4 gotas de uno de ellos en 10 ml de aceite de almendras dulces y 2 gotas de aceite de germen de trigo y date un masaje en el pecho, el cuello y las sienes.

● Un baño caliente obra milagros. Cualquiera de los aceites esenciales anteriores convertirán el simple baño en todo un momento de bienestar. Añade 10 gotas de alguno o combina varios de ellos.

● Los cambios hormonales responden muy bien con el ciprés, el geranio, la manzanilla y la salvia esclarea. Añade 10 gotas de varios o de uno solo a un baño caliente o al quemador de esencias y te sentirás renovado.

● Si la fatiga es nerviosa o mental, es mejor que optes por el grupo de los cítricos que te sugerimos más arriba. Prepara un buen aceite de masaje con 10 ml de aceite de almendras dulces, 2 gotas de aceite de germen de trigo y 6 gotas en total de uno o de la combinación de varios de ellos.

Fiebre

Descripción

La fiebre no es una enfermedad, sino una señal de alerta del organismo que indica que se está desarrollando una infección vírica o bacteriana. Además, también puede venir producida por un sobreesfuerzo físico o mental, una situación de estrés o la reacción del organismo a cambios climáticos muy bruscos. Los síntomas son una temperatura corporal por encima de los 37 °C, sensación alterna de calor y frío y escalofríos. Además de la aromaterapia y la dieta a base de líquidos y alimentos suaves y ricos en vitamina C y otros remedios naturales, es muy importante que descanses. El reposo es la

Aceites esenciales recomendados

● Albahaca	● Eucalipto
● Alcanfor	● Lavanda
● Árbol del té	● Lemongrass
● Bergamota	● Manzanilla
● Cajeput	● Menta
● Ciprés	● Milenrama
● Citronela	● Niauli
● Clavo	● Romero
● Coriandro	● Tomillo

clave para la recuperación, y conviene pasar el periodo de fiebre en la cama. Si la fiebre continúa durante más de dos días es imprescindible que consultes con tu médico de cabecera para descartar enfermedades importantes.

Remedios de aromaterapia

● Es muy útil poner en un quemador de esencias algunas gotas de romero o eucalipto mientras dura la convalecencia.

● Elabora un aceite de masaje con 25 ml de aceite de almendras dulces y 5 gotas de árbol del té, eucalipto, lavanda, lemongrass, cajeput, romero, coriandro, manzanilla, ciprés, niauli, tomillo, clavo o limón. Masajéate la nuca, el pecho y las plantas de los pies un par de veces al día.

● Los baños tibios ayudan a bajar la temperatura. Añade al agua hasta 10 gotas de uno o de varios de estos aceites esenciales: albahaca, árbol del té, eucalipto o menta. Si estás demasiado débil para darte un baño, pide que te pasen por el cuerpo una esponja empapada en agua con un par de gotas de uno o dos de los aceites esenciales mencionados.

Fiebre del heno

Descripción

Una de las formas más habituales de manifestarse una alergia es a través de la fiebre del heno o rinitis. A pesar de llamarse así, no la provoca sólo el heno, sino que puede ocasionarla cualquier tipo de alérgeno natural o químico (polen, ácaros, epitelio de animales, productos químicos, alimentos, etc...) o, incluso tratarse de una rinitis vasomotora, es decir, de origen no alérgico.

Es una afección que consiste en la inflamación de la mucosa nasal y que puede afectar también a los ojos, el paladar y la garganta. Los síntomas son salvas de estornudos, congestión nasal, ojos llorosos, goteo, dolor de cabeza, tos seca, fatiga e irritabilidad.

Puede tratarse con antihistamínicos o con corticoides, y hay personas que se someten a largos tratamientos de vacunas para insensibilizarse al alérgeno que produce esta molesta afección.

La medicina natural ofrece muchas alternativas y, entre ellas, está la aromaterapia. Sin embargo, en cada persona tiene un efecto determinado y

Aceites esenciales recomendados

- Albahaca
- Árbol del té
- Cajeput
- Clavo
- Eucalipto
- Hisopo
- Jengibre
- Lavanda
- Manzanilla
- Mejorana
- Melisa
- Menta
- Mirra
- Niauli
- Pimienta negra
- Pino
- Salvia esclarea
- Tomillo

es conveniente que vayas probando los aceites que te recomendamos a continuación hasta encontrar el que te resulte más efectivo. Lo ideal es que encuentres dos o tres, para poderlos utilizar conjuntamente y aprovechar los beneficios de su sinergia.

Remedios de aromaterapia

- Añade al agua del baño 10 gotas de uno de los aceites esenciales que te mencionamos arriba.
- También puedes poner unas cuantas gotas de uno de ellos en un pañuelo y olerlo. Además, utiliza el quemador de esencias para conseguir el mismo efecto por toda la casa.
- Mezcla en 5 ml de vaselina 2 o 3 gotas rosa, manzanilla y/o lavanda. Aplícatela dos o tres veces al día en las fosas nasales cuando tengas la mucosa irritada e inflamada.
- Para los ojos irritados y llorosos, aplícate compresas de agua de rosas. Resulta beneficioso darte un masaje en el cuello, el pecho y la espalda con 25 ml de aceite de pepita de uva al que hayas añadido 5 gotas de manzanilla o lavanda, y 3 de melisa o rosa. Puede ayudarte a reducir la frecuencia o severidad de las crisis.

Flatulencia

Descripción

Es una dolencia muy molesta y, en ocasiones, dolorosa, provocada por la distensión del estómago o el intestino como consecuencia, habitualmente, de la fermentación de los alimentos en el tracto digestivo.

La risa, la ansiedad o la respiración entrecortada puede incrementar la cantidad de oxígeno y nitrógeno que entra en nuestro estómago. Por otro lado, existen ciertos alimentos que al ser digeridos fermentan y generan también gas, como la lactosa de la leche o el germen del trigo. Las legumbres y algunas verduras contienen azúcares que también liberan gas durante el proceso digestivo e hinchan dolorosamente el vientre.

Aceites esenciales recomendados

- Ajedrea
- Albahaca
- Alcaravea
- Enebro
- Cardamomo
- Clavo
- Hinojo
- Laurel
- Lemongrass
- Mejorana
- Menta
- Orégano

Remedios de aromaterapia

● Mezcla 15 ml de aceite de almendras dulces, 4 gotas de menta, 2 de enebro y 2 de alcaravea. Masajéate el estómago o el vientre en círculos en el sentido de las agujas del reloj.

● Otro aceite de masaje que ayuda en los casos de flatulencia es el elaborado a base de 10 ml de aceite de almendras dulces, 6 gotas de manzanilla y 6 de jengibre o menta. Si lo deseas, también puedes hacerlo con 6 gotas de cardamomo, o con 6 de hinojo y 4 de menta.

Gota

Descripción

La gota es muy dolorosa y la provoca un exceso de ácido úrico en la sangre. Si el cuerpo no se limpia bien de toxinas, las va acumulando, y ése el es caso de esta enfermedad.

El ácido úrico se cristaliza y se acumula en las articulaciones provocando dolor e inflamación. La zona más afectada suele ser el dedo gordo del pie y es más frecuente en los hombres que en las mujeres.

Aunque la dieta influye mucho, también es cierto que la tensión nerviosa puede llegar a desencadenar una crisis.

Remedios de aromaterapia

● Los baños de pies calientes dan muy buenos resultados. Añade una

Aceites esenciales recomendados

- Árbol del té
- Cajeput
- Enebro
- Incienso
- Lavanda
- Manzanilla
- Niauli
- Pino
- Romero
- Tomillo

gota de pino, romero, enebro, cajeput, niauli o árbol del té y podrás comprobar como en diez minutos te encuentras mejor.

● También puedes masajear el dedo gordo del pie con una gota sin diluir de cualquiera de los aceites esenciales mencionados.

● Asimismo, puedes hacerte un masaje con un poco de aceite de pepita de uva al que hayas añadido una gota de incienso y otra de lavanda.

Gripe

Descripción

La gripe es una infección vírica y acostumbra a ser una de las principales causas de fiebre.

Aunque son varios los virus que la provocan, los síntomas duran de tres días a una semana y son siempre parecidos: fiebre alta, cansancio, infección de las vías respiratoria, dolor de garganta, calambres, dolor de articulaciones, espalda y cabeza.

Suele presentarse en forma de epidemia cada invierno, y los ancianos son el grupo de mayor riesgo, sobre todo si padecen trastornos cardíacos o respiratorios. Cada año se suele lanzar

Aceites esenciales recomendados

- Albahaca
- Alcanfor
- Árbol del té
- Bergamota
- Cajeput
- Canela de Ceilán
- Citronela
- Clavo
- Eucalipto
- Jengibre
- Lavanda
- Lemongrass
- Limón
- Manzanilla
- Mejorana
- Menta
- Milenrama
- Palmarrosa
- Pimienta negra
- Salvia esclarea
- Tomillo

una vacuna para prevenir el contagio, pero no siempre es efectiva, ya que los virus mutan y suelen ser muy resistentes.

No hay nada que cure la gripe y todos los tratamientos son paliativos. La aromaterapia ofrece soluciones eficaces, naturales y placenteras al mismo tiempo.

El aceite esencial más efectivo en este caso es el árbol del té por sus propiedades antivirales, bactericidas e inmunoestimulantes. Además, ayuda al organismo a sudar y regular su temperatura, por lo que resulta útil para bajar la fiebre.

Remedios de aromaterapia

- Al primer síntoma de gripe, toma un baño caliente al que hayas añadido 8 o 10 gotas de árbol del té y vete directo a la cama cuando salgas. Repite el baño las siguientes noches y es posible que evites caer enfermo. Si añades lavanda, mejorana o manzanilla, también puede ayudarte a aliviar el malestar general y a tener una noche de sueño reparador.

- Date dos veces al día un masaje en la nuca, el pecho y las plantas de los pies con un aceite a base de 25 ml de aceite de almendras dulces y 4 gotas de árbol del té, eucalipto y canela o clavo.

- Pueden aliviar la congestión nasal y de pecho las inhalaciones de agua caliente con aceite esencial de niauli, árbol del té y eucalipto. Si pones unas gotas de mejorana o bergamota en la almohada te ayudará a dormir mejor.

- Si se te complica con una infección respiratoria, añade 2 o 3 gotas de árbol del té, salvia esclarea y tomillo en un vaso de agua caliente, mézclalo bien y haz gárgaras un par de veces al día.

- La gripe es muy contagiosa y conviene mantener el ambiente limpio de virus y de gérmenes. Pon en un quemador de esencias unas gotas de palmarrosa, árbol del té, romero o pimienta negra.

Hemorroides

Descripción

Las venas que recorren la pared del ano pueden hincharse o convertirse en varices y, entonces, se les denomina «hemorroides» o «almorranas».

La inflamación suele ser resultado de la presión impuesta a los músculos del abdomen al levantar mucho peso, el estreñimiento, el sedentarismo, el sobrepeso y el embarazo. Pueden hincharse las venas por dentro o por fuera y lle-

Aceites esenciales recomendados

- Árbol del té
- Bergamota
- Ciprés
- Enebro
- Geranio
- Hinojo
- Incienso
- Limón
- Manzanilla
- Mejorana
- Milenrama
- Mirra
- Neroli, niauli
- Pachulí
- Romero
- Sándalo

gan a sangrar, doler y picar. Aunque la aromaterapia ofrece soluciones, siempre conviene consultar a un médico si son crónicas o sale sangre del ano, ya que podría ser un síntoma de una enfermedad distinta y de mayor gravedad.

Remedios de aromaterapia

● Para prevenir y aliviar los síntomas mezcla 25 ml de crema de caléndula con 5 o 6 gotas de ciprés o milenrama y de geranio. Aplícate el ungüento varias veces al día o cuando lo necesites.

● También puedes hacer baños de asiento con agua fresca y 10 gotas de cualquiera de los aceites esenciales de la lista de antes.

Impotencia

Descripción

Son pocos los casos de impotencia que requieren atención médica. En la mayoría de los casos el origen es de tipo psicológico.

La aromaterapia ayuda a combatir algunos de los problemas psicológicos que tienen como consecuencia esta disfunción sexual, como son la depresión, la ansiedad, el estrés o la tensión

---

Aceites esenciales recomendados

- ● Ajedrea
- ● Apio
- ● Cardamomo
- ● Cedro
- ● Coriandro
- ● Jazmín
- ● Jengibre
- ● Lavanda
- ● Neroli
- ● Pachulí
- ● Palisandro
- ● Romero
- ● Salvia esclarea
- ● Tomillo
- ● Ylang ylang

---

nerviosa. Además, también proporciona algunos afrodisíacos cuyas propiedades, aunque difíciles de demostrar científicamente, son gratas de descubrir.

Remedios de aromaterapia

● Un baño perfumado con aceite esencial de ylang ylang y ajedrea puede resultar muy estimulante, aunque cualquiera de los mencionados en la lista pueden tener un suave efecto afrodisíaco.

● El masaje es una excelente manera de conducir una caricia hasta una relación sexual plena y satisfactoria. Mezcla 50 ml de aceite de pepita de uva con 5 gotas de rosa, sándalo y ylang ylang. El masaje puede ser mu-

---

cho más estimulante si lo realizan ambos componentes de la pareja.

● También puedes darle un toque afrodisíaco al ambiente si pones alguno de los aceites esenciales de la lista en el quemador de esencias. Una luz suave y dejarse llevar acaban de dar el punto perfecto a la atmósfera.

Insomnio

Descripción

Esta palabra de origen latino tiene un significado inequívoco: «no poder dormir». Es un mal que aqueja a muchas personas hoy en día debido a la ansiedad, la tensión nerviosa y el estrés que acompañan al ritmo de vida. También puede producir insomnio el embarazo, el síndrome premenstrual y la menopausia, y es más común a medida que nos hacemos mayores, ya que cuantos más años se cumplen menos horas de sueño se necesitan.

Algunas de las herramientas que se pueden utilizar para ayudar a conciliar el sueño es practicar ejercicio, seguir una dieta adecuada, observar unas pautas diarias en las horas previas a irse a la cama, y eliminar el tabaco, el alcohol y las bebidas estimulantes.

Aceites esenciales recomendados

- Albahaca
- Ciprés
- Enebro
- Lavanda
- Limón
- Mandarina
- Manzanilla
- Mejorana
- Melisa
- Neroli
- Petit-grain
- Salvia esclarea
- Sándalo
- Vetiver
- Ylang ylang

Además, la aromaterapia también ayuda de forma natural a través de los aceites esenciales con propiedades relajantes, sedantes e hipnóticas. Los masajes, los quemadores de esencias y unas gotitas en la almohada son algunas de las formas más habituales de aplicación.

Remedios de aromaterapia

● Pon unas gotas de aceite esencial de lavanda, rosa o mandarina en tu almohada y su aroma te ayudará a conciliar el sueño. También puedes poner un quemador de esencias en la habitación media hora antes de irte a dormir. Puedes utilizar cualquiera de los aceites esenciales que te hemos men-

cionado o realizar combinaciones entre ellos hasta encontrar el aroma que más te relaje.

● Mezcla en 10 ml de aceite de almendras dulces 2 gotas de neroli, melisa, petit-grain, salvia esclarea o lavanda y haz que te den un masaje suave y relajante en la cama, mejor antes de ir a dormir.

● El baño caliente antes de ir a dormir ya es relajante por sí mismo, pero puedes potenciar sus efectos si le añades 10 gotas de mejorana, manzanilla, melisa, rosa o lavanda, o una combinación de varios. Respira profundamente y con calma mientras tomas el baño, que no debe exceder los diez minutos, y, cuando acabes, vete enseguida a la cama.

● Un buen y agradable truco consiste en añadir 10 gotas del aceite esencial que más te guste al agua del último aclarado de las sábanas, para que queden impregnadas de su aroma y te ayuden a conciliar el sueño. También puedes poner saquitos de flores secas de lavanda en el armario de la ropa blanca (recuerda que debes sustituirlos a menudo) o empapar la ropa con unas gotas de aceite esencial de lavanda.

Leucorrea

Descripción

Se conoce como «leucorrea» a una inflamación de la vagina que suele tener un origen bacteriano, aunque también la puede producir el hongo *Candida albicans*, u otras especies. Los síntomas son un flujo blanquecino o amarillento de mal olor, enrojecimiento e inflamación moderada de la zona vaginal y un prurito intenso y continuado.

Su aparición suele coincidir con la ingesta de antibióticos, ya que el organismo se debilita. Los grupos de riesgo son las mujeres diabéticas, las que toman la píldora anticonceptiva y las embarazadas.

Remedios de aromaterapia

● Lo más efectivo para combatir los casos de leucorrea son los baños de

Aceites esenciales recomendados

- Árbol del té
- Enebro
- Eucalipto
- Geranio
- Lavanda
- Mirra

asiento. Por tanto, llena el bidet de agua caliente y añade 2 gotas de enebro, árbol del té o lavanda. Date un baño de unos diez minutos al día hasta que las molestias hayan desaparecido.

● También puedes darte un baño caliente al que le hayas añadido 8 o 10 gotas de cualquiera de los aceites esenciales que te hemos recomendado en la lista.

Lumbago

Descripción

La zona lumbar de la columna vertebral está situada en la base de la espalda y suele ser susceptible de padecer pinzamientos, inflamaciones o, incluso, hernias discales. El dolor es conocido normalmente como «lumbago» y es muy incapacitante.

Suele ocasionarlo el levantar un peso en una postura inadecuada, torcer mal la columna o soportar durante todo el día un peso adicional, como les ocurre a las embarazadas.

La única forma que existe para calmar la inflamación y el dolor es guardar cama, aplicarse calor y darse masajes en la zona afectada.

Aceites esenciales recomendados

- Albahaca
- Cajeput
- Enebro
- Jengibre
- Lavanda
- Limón
- Manzanilla
- Niauli
- Orégano
- Pimienta negra
- Pino
- Romero
- Salvia esclarea
- Tomillo

Remedios de aromaterapia

● Los baños calientes resultan muy efectivos. Pon 6 gotas de orégano y 6 de tomillo en un poco de gel de baño y colócalo bajo el grifo mientras se va llenando la bañera.

● También puedes aplicarte calor local con compresas empapadas en agua bien caliente a la que hayas añadido 5 gotas de enebro, pino, romero, enebro o tomillo. Déjatelas puesta diez minutos y verás como te alivia. Puedes repetirlo varias veces al día.

● Un masaje después de aplicar calor es una excelente manera de hacer penetrar en los poros de tu piel los principios activos de los aceites esenciales que te convienen. Mezcla 10 ml

---

de aceite de almendras dulces con 2 gotas de aceite de germen de trigo y 6 gotas de cualquiera de los aceites esenciales que te hemos propuesto en la lista anterior.

Menopausia

Descripción

La menopausia es la última fase del ciclo menstrual de una mujer.

Es una época difícil para algunas mujeres, ya que se combinan muchos factores físicos y psicológicos que inciden directamente sobre la calidad de vida.

El cambio hormonal, que significa una disminución notable de la producción de estrógenos y progesterona, puede necesitar hasta dos años para producirse por completo.

En su transcurso, los vértigos, los sofocos, el insomnio, los dolores de cabeza, las menstruaciones irregulares y abundantes, la depresión, las palpitaciones, la irritabilidad, los cambios súbitos de humor y la retención de líquidos acompañan a más de un 25 % de las mujeres.

Conviene intentar asumir este proceso como algo natural y aceptarlo, para facilitarse a una misma el tránsito por ese cambio.

La medicina natural puede ayudar de muchas maneras, y la aromaterapia te ofrece algunos de los remedios más placenteros.

Aceites esenciales recomendados

- Bergamota
- Ciprés
- Geranio
- Hinojo
- Incienso
- Jazmín
- Lavanda
- Limón
- Mandarina
- Manzanilla
- Mejorana
- Melisa
- Naranja amarga
- Neroli
- Pino
- Salvia esclarea
- Sándalo
- Ylang ylang

Remedios de aromaterapia

- Escoge el aceite esencial que mejor te haga sentir en cada momento y añade unas gotas al quemador de esencias. Te ayudará a relajarte y calmará tu irritabilidad, uno de los principales síntomas de la menopausia.
- Si tienes sofocos pueden resultarte muy útiles las compresas frías con aceite esencial de manzanilla, lavanda, menta o rosa. Aplícatelas en la cara y en el cuerpo cada vez que lo necesites.
- Un baño caliente te sentará de maravilla y será un momento que te dedicarás a ti en exclusiva. Añade 8 o 10 gotas en total de uno o varios de los aceites que te recomendamos en la lista. Si padeces sofocos nocturnos, una buena opción es tomar un baño tibio antes de irte a dormir con 5 gotas de salvia esclarea y 5 más de geranio.
- El masaje te ayudará a sentirte mejor y a relajarte. Mezcla 15 ml de aceite de onagra o de borraja (muy recomendable por su contenido en ácidos gama linoléicos) con 25 ml de aceite de pepita de uva y 5 gotas de geranio o rosa, 5 de hinojo y 5 de salvia esclarea. Sus principios activos te relajarán y te ayudarán a regular tu organismo, que con la menopausia anda algo descompensado.
- Un aceite regulador de la producción hormonal hecho a base de 30 ml de aceite de almendras dulces, 2 gotas de rosa, 2 de sándalo, 3 de ciprés y 3 de naranja amarga puede ayudarte a suavizar los síntomas.

Migraña

Descripción

La migraña es una de las afecciones más comunes del sistema nervioso. Consiste en dolores de cabeza intensos que se producen de forma periódica y que condicionan mucho a quien los padece, llegando incluso a ser incapacitantes mientras duran. Son consecuencia de un espasmo repentino de las arterias de una lado de la cabeza, y el dolor aparece cuando dichas arterias recuperan su estado normal. Parece ser que podría tener un factor hereditario, pero lo que sí está demostrado es que la padecen muchas más mujeres que hombres.

Los síntomas, que pueden llegar a durar desde unas horas hasta varios días, consisten en un dolor de cabeza palpitante que puede ir acompañado de mareos y vómitos. En ocasiones afecta a la visión y se tiene la sensación de ver pequeñas luces una media hora antes del ataque. A este tipo de migraña se le denomina «migraña con aura». Si se toman las medidas paliativas cuando se ven estas lucecitas se tienen más probabilidades de evitar o suavizar el ataque.

Una dieta sana, que evite el queso, el chocolate y el vino, ejercicio al aire libre y tomarse la vida con menos ansiedad puede mejorar las perspectivas de las personas que tienen tendencia a padecerla. La aromaterapia también puede ayudarte a prevenirla, suavizarla o combatirla, según sea tu estado.

Aceites esenciales recomendados

- Albahaca
- Angélica
- Citronela
- Eucalipto
- Hinojo
- Lavanda
- Lemongrass
- Manzanilla
- Mejorana
- Melisa
- Orégano
- Pomelo
- Salvia esclarea

Remedios de aromaterapia

- Una forma de suavizar el ataque es preparar un aceite de masaje en cuanto notes los primeros síntomas con 5 ml de aceite de pepita de uva y 1 gota de albahaca. Date un masaje circular en el sentido de las agujas del reloj en la nuca y en el plexo solar y échate a oscuras en la cama durante el rato que

sea necesario. Puedes repetir el masaje hasta la completa desaparición de los síntomas. Si el dolor no te permite tocar la zona dolorida, puedes inhalar el aceite esencial en unos vahos o verter unas gotas en un pañuelo.

- Otro remedio eficaz si te lo aplicas cuando aparecen los primeros síntomas es verter 2 gotas de mejorana, 2 de lavanda, 2 de menta y 1 de melisa en un pañuelo. Inhálalo tres veces profundamente para que pueda hacer el efecto adecuado.

- Puede ayudarte poner unas gotas de cualquiera de los aceites esenciales que te proponemos en un quemador de esencias, o poner 8 gotas en el agua de un baño caliente.

Muelas, dolor de

Descripción

Este dolor siempre viene provocado por una infección conocida por todos: la caries. Cuando las bacterias consiguen atravesar el esmalte dental y llegar a la pulpa, tocan el nervio y entonces empieza el dolor, que puede ser muy intenso y persistente.

Si tienes dolor de muelas debes acudir a tu dentista urgentemente,

Aceites esenciales recomendados

- Angélica
- Árbol del té
- Clavo
- Coriandro
- Lavanda
- Manzanilla
- Menta, mirra
- Pimienta negra
- Tomillo

porque es el único que puede practicarte un empaste o «matar» el nervio, con lo que el dolor desaparece. Si las bacterias llegan a afectar al hueso en que se inserta la muela puedes correr un serio peligro.

Sin embargo, mientras consigues hora en el dentista, la aromaterapia puede ofrecerte algunas soluciones de urgencia que te ayuden a pasar ese período lo mejor posible.

Una dieta sana, una cuidadosa higiene bucal y la visita regular a tu dentista evitarán que llegues a padecer una molestia tan dolorosa como puede llegar a ser un dolor de muelas.

Remedios de aromaterapia

- Puedes aplicarte un algodoncito mojado en dos gotas de aceite esencial de clavo o de menta mientras lle-

gas al dentista, ya que tienen propiedades anestésicas y antisépticas.

● Puedes darte en la parte externa de la mejilla un masaje con 15 ml de aceite de almendras dulces, 2 gotas de manzanilla, 2 de lavanda y 2 de menta.

● Como prevención, y para combatir la infección, puedes hacer gárgaras al final de cada cepillado con un vaso de agua caliente en el que hayas añadido 5 gotas de árbol del té.

Neuralgia

Descripción

Se define como neuralgia cualquier dolor producido por la irritación o compresión de un nervio, como el herpes zoster, la ciática o el dolor de trigémino. Su origen puede ser cualquier inflamación, infección o compresión provocada por una fractura, una hernia discal, un dolor de cabeza, una sinusitis o un dolor de muelas. Entre las neuralgias más conocidas están la migraña, la ciática y la neuralgia facial. Esta última responde muy bien a la aromaterapia.

Aceites esenciales recomendados

● Árbol del té	● Mejorana
● Coriandro	● Menta
● Eucalipto	● Orégano
● Jengibre	● Pimienta
● Lavanda	negra
● Manzanilla	● Romero

Remedios de aromaterapia

● Vierte en un pañuelo 1 gota de árbol del té, niauli o eucalipto y haz tres inhalaciones profundas.

● En las neuralgias faciales dan muy buen resultado las compresas tibias con un par de gotas de cualquiera de los aceites esenciales mencionados en la lista anterior.

● Puedes elaborar un aceite de masaje analgésico con 5 ml de aceite de pepita de uva, 2 gotas de aceite de germen de trigo y 3 de pimienta negra.

● Para las neuralgias del resto del cuerpo puede resultar muy beneficioso un baño caliente al que hayas añadido 8 o 10 gotas de cualquiera de los aceites esenciales anteriores.

● Un aceite de masaje muy indicado para calmar el dolor es el elaborado a base de 50 ml de aceite infusionado de hipérico y 25 gotas en total de romero, lavanda, mejorana y/o menta. Masajea con suavidad la zona afectada para que penetre bien.

Oído, dolor de

Descripción

Tan molesto como el dolor de muelas puede llegar a ser un dolor de oídos, ya que es muy intenso.

Este dolor puede venir provocado por una infección del mismo oído, es decir, una otitis, por un diente cariado, una infección de nariz o de garganta que se extiende, una gripe o una sinusitis e, incluso, un principio de paperas.

Aceites esenciales recomendados

● Árbol del té	● Manzanilla
● Clavo	● Mejorana
● Lavanda	

Remedios de aromaterapia

● Si el dolor viene provocado por unas anginas, haz gárgaras con un vaso de agua caliente al que hayas añadido 2 gotas de aceite esencial de árbol del té.

• Mezcla 5 ml de aceite de pepita de uva con 1 gota de aceite esencial de clavo. Date un masaje en el cuello y alrededor del pabellón auricular.

• Moja un algodoncito en aceite de oliva o de almendras dulces con 3 gotas de lavanda o manzanilla y ponlo en la parte externa del oído. Este remedio sólo puedes aplicártelo si el médico te confirma que no has padecido una perforación de tímpano.

Pediculosis (piojos)

Descripción

La pediculosis se refiere a tres tipos de insectos: los piojos corporales, los piojos de la cabeza y las ladillas (o piojos púbicos). En los tres casos, la infestación se produce de manera muy rápida y siempre por contacto con otras personas. Estos indeseables insectos perforan la piel para chupar la sangre y esas minúsculas heriditas producen un picor y una irritación permanentes.

Remedios de aromaterapia

• Puedes añadir a tu champú 2 gotas de aceite esencial de lavanda o de ár-

---

Aceites esenciales recomendados

• **Árbol del té**	• **Geranio**
• **Enebro**	• **Lavanda**
• **Eucalipto**	• **Romero**

---

bol del té antes de lavarte el cabello como medida preventiva. También puedes añadirlo de una vez al frasco de champú: cada 100 ml de champú neutro añade de 20, 40 o 60 gotas de aceite esencial (dependiendo de si es para niños, tienes la piel sensible o es para adultos). Deja que actúe diez minutos y aclárate bien el cabello. Para acabar, puedes añadir también 2 gotas de aceite esencial de lavanda a la crema acondicionadora o al agua del último aclarado.

• **Piojos del cabello**: frota el cuero cabelludo con un remedio alcohólico, como alcohol de romero, al que hayas añadido 10 gotas de cualquiera de los tres aceites esenciales que proponemos. Déjalo toda la noche y por la mañana pásate por el cabello un peine especial para arrastrar piojos y liendres (sus huevos). Si conviene, repite el tratamiento tres noches seguidas. Si se te irrita el cuero cabelludo como conse-

cuencia del alcohol, puedes sustituirlo por aceite de almendras dulces o aceite infusionado de romero.

• Para los niños también funciona muy bien aplicar durante media hora una mezcla a base de 10 ml de aceite de almendras dulces, 2 gotas de eucalipto, 1 de lavanda y 1 de geranio. Después, lávale el cabello y aplícale una mezcla antiséptica que deberá tener toda la noche: 240 ml de agua, 15 ml de vinagre, 2 gotas de eucalipto, 2 de lavanda y 2 de geranio. Por la mañana, pásale el peine especial después de haberle lavado de nuevo bien el cabello. Esta mezcla también es muy útil para añadirla al agua del último aclarado como medida de prevención contra futuros contagios o recaídas.

• **Piojos corporales**: utiliza la misma solución anterior y frótate todo el cuerpo. Cambia las sábanas, pon una funda protectora, limpia al colchón y frota el colchón con aceite esencial de lavanda.

• **Ladillas**: como paso previo debes afeitarte el pubis y, a continuación, friccionar con la misma mezcla pero teniendo mucho cuidado de que no se introduzca en el cuerpo a través de la uretra, el ano o la vagina.

Pie de atleta

Descripción

El causante de esta afección es el hongo *Tinea pedis,* y los síntomas más comunes son picor entre los dedos del pie y descamación de la piel en toda la zona afectada. En caso de afectar a las uñas, éstas se vuelven quebradizas y de un feo color blanquecino. Este hongo es muy contagioso y se suele coger en sitios húmedos, como gimnasios o piscinas, por los que se camina descalzo.

Remedios de aromaterapia

● La prevención es fundamental. Camina con zapatillas de ducha por las zonas susceptibles de contagio y date una friega con aceite esencial de geranio o árbol de té en los pies antes y después de ir al gimnasio o la piscina.

● Si ya te has contagiado, date baños de pies en agua salada con 5 gotas de árbol del té o salvia esclarea durante veinte minutos. Después sécalos a conciencia y aplícate un aceite preparado con 10 ml de aceite de almendras dulces, 2 gotas de aceite de germen de trigo, 2 de geranio y 2 más de árbol del té.

Aceites esenciales recomendados

● Árbol del té
● Eucalipto
● Geranio
● Lavanda
● Lemongrass
● Menta
● Mirra
● Pachulí
● Salvia esclarea

● Si la piel está muy descamada añade a 25 ml de aceite infusionado de caléndula 4 gotas de árbol del té, 4 de lavanda y 4 de mirra.

Psoriasis

Descripción

Esta enfermedad de origen desconocido (hay quien defiende que es hereditaria) se manifiesta como manchas circulares rosadas o rojizas en la piel. Suele iniciar su aparición en los codos

Aceites esenciales recomendados

● Angélica
● Árbol del té
● Benjuí
● Cajeput
● Cedro
● Lavanda
● Limón
● Mirra
● Orégano
● Tomillo

y rodillas, aunque puede extenderse por todo el cuerpo. La piel afectada suele resecarse y descamarse, y es una afección prácticamente incurable, pero que responde bien al tratamiento con aromaterapia.

Además, conviene evitar que las zonas afectadas esté húmedas. Otros factores que empeoran la psoriasis son el frío y la tensión nerviosa.

Remedios de aromaterapia

● Si aparecen las manchas en la cara, aplícate aceite de germen de trigo, que mantendrá la piel limpia e hidratada.

● Cuando aparezca en el cuero cabelludo puedes aplicar 5 ml de aceite de ricino con 2 gotas de aceite de germen de trigo y 4 gotas de benjuí o cajeput. Date un suave masaje y envuélvete la cabeza con una toalla caliente para favorecer la absorción de los principios esenciales del aceite esencial. Pasadas dos horas, lávate la cabeza con un champú muy neutro y no utilices el secador.

● Aplícate mañana y noche una mezcla sobre las manchas que contenga 10 ml de aceite de germen de trigo y 3 gotas de benjuí o cajeput. Si al cabo de dos meses no notas mejoría, prueba con algún otro de los aceites que te recomendamos.

● Otro aceite tratante que puede ayudarte consiste en 25 ml de aceite de aguacate, 25 ml de aceite de onagra, 5 gotas de aceite de germen de trigo, 15 gotas de árbol del té y 5 más de mirra o cajeput. Aplícatelo dos veces al día en la zona afectada.

● También pueden beneficiarte baños tibios a los que hayas añadido sales del mar Muerto y algunas gotas de cualquiera de los aceites esenciales que te proponemos antes.

Pulmonía

Descripción

Cuando se padece una pulmonía, es decir, una infección de pulmón, los alvéolos se inflaman como consecuencia del ataque de bacterias o de virus y se llenan de pus y de mucosidad.

Además, también puede venir provocada por la irritación que causan determinados agentes químicos o, incluso, de una bronquitis o una gripe mal curada.

La pulmonía no avisa siempre, ya que los síntomas pueden ser desde muy leves a muy intensos: fiebre, respiración agitada, dolor en el pecho, escalofríos, tos seca persistente y esputos sanguinolentos. Conviene acudir al médico sospechas que padeces una pulmonía, ya que necesitarás un potente tratamiento antibiótico para poder superarla. Esta enfermedad puede revestir gravedad cuando se trate de niños, personas con dificultades respiratorias o ancianos.

La aromaterapia es, en este caso, una medicina complementaria que ayuda a tener un restablecimiento más rápido y completo, pero que no tiene la capacidad de curar esta infección.

Remedios de aromaterapia

● La prevención es una de las mejores medicinas para combatir la aparición de una pulmonía. Para ello, pon 3 gotas de aceite esencial de árbol del té, eucalipto o cajeput en el quemador de esencias para limpiar el ambiente de tu casa de bacterias y virus amenazadores. Así, si alguno de los miembros de la familia padece ya una pulmonía, evitarás que otros puedan contagiarse.

● También es muy recomendable que practiques inhalaciones para descongestionar el pecho. Para ello, pon un par de gotas de pino o de ciprés en agua caliente y respira profundamente.

● También pueden aliviarte las aplicaciones de compresas calientes. Empapa la compresa en agua caliente a la que hayas añadido 2 gotas de orégano y aplícatela en el pecho. Déjala diez minutos y pide que te den a continuación un suave masaje con 15 ml de aceite de almendras dulces, 2 gotas de aceite de germen de trigo, 2 de cedro, 2 de cajeput y 3 de eucalipto. Cuando hayas acabado abrígate bien el pecho.

● Aplícate dos gotas de romero, tomillo o árbol del té en las plantas de los pies y en las manos por la mañana y por la noche.

Aceites esenciales recomendados

● Árbol del té
● Cajeput
● Cedro
● Ciprés
● Eucalipto
● Niauli
● Orégano
● Pino
● Romero
● Tomillo

Resfriado

Descripción

Esta infección vírica es altamente contagiosa y todo ser humano la ha padecido alguna vez, sino varias. Existen todo un elenco de virus que la provocan y que se propagan por el aire. Los síntomas, conocidos por todos, son: estornudos, mucosidad, dolor de garganta, febrícula, malestar general, ojos llorosos e irritados...

Un resfriado mal curado puede derivar fácilmente en una bronquitis o una sinusitis, por lo que es importante dedicarle la atención y cuidados que merece. Se desconoce su cura y los tratamientos son siempre paliativos. La aromaterapia es muy efectiva en los resfriados tanto para prevenir su contagio como para aliviar sus síntomas y garantizar una exitosa recuperación.

Recuerda que el eucalipto reviste ciertos peligros para las personas que padecen asma, porque podría provocar un broncoespasmo. Por lo tanto, si es tu caso, evítalo en cualquiera de los remedios que te apliques. Como mucho, pon una gota en un pañuelo para que puedas olerlo y te ayude a descongestionar la nariz o los pulmones.

Aceites esenciales recomendados

- Albahaca
- Angélica
- Árbol del té
- Bergamota
- Canela de Ceilán
- Cajeput
- Cedro
- Clavo
- Eucalipto
- Geranio
- Hisopo
- Incienso
- Jengibre
- Lavanda
- Limón
- Mejorana
- Melisa
- Menta
- Milenrama
- Mirra
- Niauli
- Palisandro
- Pimienta negra
- Pino
- Salvia esclarea
- Sándalo
- Tomillo

De todos modos, existen otras muchas opciones que te ayudarán sin representar ningún riesgo adicional, así que decídete mejor por el resto de aceites esenciales de la lista que te proponemos.

Remedios de aromaterapia

- Como el resfriado es muy contagioso conviene que limpies el aire de tu casa o de tu lugar de trabajo de virus. Pon en un quemador de esencias unas gotas de canela, eucalipto, tomillo, niauli, clavo o pino. En tu lugar de trabajo mezcla los aceites esenciales con un poco de aceite portador y empapa un trocito de algodón, que debes colocar encima del radiador para que el calor haga evaporar los elementos volátiles de los aceites esenciales y, con ellos, sus principios antisépticos.

- Otro sistema de prevención es mezclar 50 ml de aceite de almendras con una gota de cada uno de estos aceites esenciales: pino, niauli, clavo y eucalipto. Frótate con él el pecho y ponte un poquito en las fosas nasales. Es un remedio que también da buenos resultados en los estados iniciales del resfriado.

- Si te sientes congestionado, haz inhalaciones, date un baño o inhala un pañuelo con unas gotas de los siguientes aceites esenciales: clavo, eucalipto, cajeput, pino y niauli.

- Si tienes tos, mezcla 25 ml de aceite de almendras dulces con 4 o 5 gotas de jengibre, tomillo, lavanda e hisopo. Aplícatelo en el pecho y en la parte superior de la espalda un par de veces al día.

- Date un baño caliente cada día con 10 gotas de árbol del té, romero o tomillo para combatir la congestión y la infección. La lavanda, la mejorana y la bergamota pueden ayudarte si tienes el cuerpo dolorido y te ayudarán a conciliar un sueño reparador.

● Para poder recuperar el olfato puedes hacer inhalaciones de agua caliente con unas gotas de geranio, menta o albahaca. También puedes añadirlo al agua del baño.

● Si tienes la garganta irritada o te duele, haz gárgaras con un poco de agua caliente a la que hayas añadido 2 gotas de árbol del té, y 1 de limón, geranio o tomillo.

Reumatismo

Descripción

Con el término popular de «reumatismo» nos referimos a varias enfermedades que afectan al tejido de las articulaciones, como artritis o bursitis, entre otras. En ocasiones el tejido, ligamento, tendón o músculo se pone rígido; otras veces sólo duele y se inflama. Lo cierto es que cursa con dolor y puede llegar a reducir la movilidad y, por lo tanto, la calidad de vida.

La aromaterapia resulta de gran ayuda para desinflamar y aliviar el dolor, con la consecuente mejoría en la movilidad y la vida diaria. Son muchos los aceites esenciales que pueden ayudarte y es probable que algunos te hagan más efecto que otros. Prueba los que desees de la larga lista que te proponemos después de asesorarte bien con un aromaterapeuta de confianza.

Remedios de aromaterapia

● Mezcla 10 ml de aceite de pepita de uva con 2 gotas de cajeput, o con 1 gota de pino y 1 de limón o enebro.

Aceites esenciales recomendados

● **Abedul blanco**	● **Lima**
● **Angélica**	● **Limón**
● **Cajeput**	● **Manzanilla**
● **Ciprés**	● **Niauli**
● **Citronela**	● **Orégano**
● **Clavo**	● **Petit-grain**
● **Coriandro**	● **Pimienta negra**
● **Enebro**	● **Pino**
● **Eucalipto**	● **Salvia esclarea**
● **Hisopo**	● **Tomillo**
● **Jengibre**	● **Vetiver**
● **Laurel**	● **Zanahoria**
● **Lavanda**	

Date un masaje largo pero suave en la parte afectada y cúbrela después con una toalla caliente. De esta forma, penetran mejor los principios activos y se distiende la articulación agarrotada.

● Otro aceite de masaje que desinflama con gran efectividad es el infusionado de hipérico. Mezcla 25 ml con 3 o 4 gotas de lavanda, enebro, romero y pimienta negra o jengibre. Además, con el masaje estimulas la circulación sanguínea y ayudas a eliminar toxinas, que tan perjudiciales resultan para las personas que sufren enfermedades reumáticas.

● Los baños calientes también alivian el dolor, a la vez que desintoxican y desinflaman. Añade 8 o 10 gotas de cualquiera de los aceites que te recomendamos con anterioridad o combina varios a tu gusto, pero siempre con un máximo de tres o cuatro diferentes cada vez.

● Si te duele mucho una determinada zona, puedes ponerte una compresa empapada en agua caliente con 2 gotas de lavanda, 2 de romero, 3 de eucalipto , 2 de cajeput o manzanilla y 3 más de enebro. Aplícala sobre la zona y déjala toda la noche.

Sabañones

Descripción

Los sabañones eran muy conocidos antiguamente, cuando los sistemas de calefacción no estaban al alcance de casi nadie y el frío del invierno causaba estragos en la salud de muchas personas.

Sin embargo, todavía se sigue padeciendo en la actualidad este trastorno circulatorio. Son unas manchas hinchadas de color rojo azulado que salen en las partes del cuerpo expuestas al frío, como las manos, la parte posterior de las piernas, o los pies.

Remedios de aromaterapia

● Si tienes los pies muy fríos al llegar a casa, date unas friegas con una mezcla

Aceites esenciales recomendados

● Árbol del té
● Eucalipto
● Geranio
● Jengibre
● Lavanda
● Lima

● Manzanilla
● Milenrama
● Pimienta negra
● Pino
● Romero

a base de 10 ml de aceite de pepita de uva y 5 gotas de árbol del té. También puedes aplicar una gota de aceite esencial puro sobre los sabañones y frotar con mucha suavidad para no irritar todavía más la zona.

● También es recomendable que te des un baño caliente en la zona afectada, o aplícate una compresa, con agua caliente y 5 gotas de cualquiera de los aceites esenciales que te mencionamos antes.

● Para activar la circulación, puedes darte un masaje con una mezcla a base de 50 ml de aceite de almendras dulces, 5 gotas de aceite de germen de trigo, 10 gotas de romero, 10 de pino, 5 de pimienta negra y 5 de jengibre.

Síndrome premenstrual

Descripción

El síndrome premenstrual es una serie de síntomas que tienen lugar varios días antes de la menstruación, como dolor en los pechos, dolor de cabeza, cambios de humor, retención de líquido, estreñimiento o insomnio entre otros. Son muchas las mujeres que lo padecen y muchos los tipos de sín-

drome premenstrual, ya que en cada mujer se presenta de una forma distinta e incluso de varias.

Su origen parece debido a un desequilibrio hormonal entre los niveles de estrógeno y de progesterona que tiene lugar en ese momento del ciclo menstrual, pero todavía queda mucho por investigar sobre los motivos y las consecuencias de este síndrome. Y esto es así porque es el cerebro, a través del hipotálamo y de la glándula pituitaria, quien dirige el concierto hormonal que tiene lugar cada ciclo.

Además, los agentes externos, como el estrés o una depresión, afectan directamente sobre el mismo y, mientras tanto, muchas mujeres intentan hacer frente como pueden a esa dura prueba mensual.

La aromaterapia es muy útil en el tratamiento del síndrome premenstrual porque puede incidir sobre factores físicos, como la retención de líquidos, y psíquicos, como la ansiedad o los cambios de humor.

Además, como es una terapia muy placentera, tiene implícita la sensación de mimarse una misma, que siempre ayuda a sobrellevar las situaciones difíciles.

● Los baños calientes resultan de gran ayuda durante esos días. Añade 10 gotas del aceite que más te guste de la lista anterior durante los diez días anteriores al período y, si siguen las molestias, continúa durante la menstruación.

● El masaje ayuda a relajar y es una forma excelente de conseguir que los principios activos de los aceites esenciales lleguen de forma rápida a su destino. Prepara una mezcla en fun-

Aceites esenciales recomendados

● Albahaca	● Neroli
● Bergamota	● Pachulí
● Ciprés	● Palmarrosa
● Enebro	● Pino
● Estragón	● Pomelo
● Geranio	● Romero
● Hinojo	● Rosa
● Incienso	● Salvia
● Jazmín	esclarea
● Limón	● Sándalo
● Mandarina	● Tomillo
● Manzanilla	● Vetiver
● Melisa	● Ylang ylang

ción de los síntomas. Por ejemplo, si padeces cambios de humor y estás muy irritable, añade a 15 ml de aceite de onagra y 50 ml de aceite de pepita de uva 10 gotas de lavanda, bergamota, geranio y manzanilla.

● De forma preventiva, puedes ayudar a tu organismo a conseguir un equilibrio hormonal con un masaje. Mezcla 25 ml de aceite de pepita de uva y 15 ml de aceite de onagra con 5 gotas de rosa, de lavanda, de hinojo y de geranio. Aplícate el masaje en el vientre en la parte inferior de la espalda.

● Los quemadores de esencias pueden ayudarte a controlar la ansiedad y suavizar los síntomas del síndrome premenstrual. Utiliza uno o varios de los aceites que te hemos propuesto desde los diez días anteriores a la menstruación.

Sinusitis

Descripción

La sinusitis es una infección de los senos nasales y paranasales, es decir, de las cavidades que rodean la nariz y los ojos. Se trata de un problema de salud común y que además es bastante doloroso.

Los síntomas más comunes son dolor de cabeza, congestión nasal, fatiga, dolor de oído o alrededor de los ojos, tos y febrícula. Puede provocar incluso hemorragias nasales debidas a la presión ejercida por los senos inflamados como consecuencia de la inflamación.

Esta enfermedad suele originarse en una dolencia mal curada de las vías respiratorias altas, como gripe, resfriado, anginas o infección bucal. También puede ser un síntoma más de la fiebre del heno.

● Las inhalaciones son de gran ayuda, sobre todo la de los aceites esenciales descongestionantes y antiinflamatorios, como el eucalipto, el benjuí, el romero o el cajeput. Además, el árbol del té tiene potentes propiedades antisépticas que ayudan a superar la infección. Haz inhalaciones tres o cuatro veces al día con 4 gotas de uno o varios de estos aceites esenciales.

● Date un baño al día con 10 gotas de cualquiera de los aceites de la lista anterior. Te proporcionará los mismos beneficios que las inhalaciones.

Aceites esenciales recomendados

● Árbol del té	● Mejorana
● Benjuí	● Menta
● Bergamota	● Mirra
● Cajeput	● Niauli
● Clavo	● Pino
● Eucalipto	● Salvia
● Hisopo	esclarea
● Jengibre	● Romero
● Lavanda	● Rosa
● Manzanilla	● Tomillo

● Una forma eficaz de combatir la infección es poner en el quemador de esencias o en el vaporizador unas gotas de árbol del té, eucalipto y/o tomillo durante el día, y mejorana o lavanda por la noche.

● Mezcla en 5 ml de vaselina, 1 gota de manzanilla, 1 de lavanda y 1 de rosa. Aplícatelo en las fosas nasales para intentar reducir la inflamación de las mucosas y facilitarte así la respiración.

● Para aliviar la congestión, date un masaje en la nuca, el pecho, las manos y las plantas de los pies con 25 ml de aceite de pepita de uva y 3 gotas de eucalipto, pino o romero, y menta.

● Aplícate cada noche sobre la cara la siguiente loción: 15 ml de crema, 3 gotas de lavanda, 2 de menta y 2 de eucalipto.

● Para que sea más efectivo, realiza el siguiente masaje: pon los dedos en posición vertical y los pulgares apoyados bajo la mandíbula; a continuación, presiona a lo largo de la parte superior de los pómulos hasta llegar a las sienes; luego aplica un suave masaje en el punto inicial y vuelve a realizar el movimiento anterior pero en la parte media de los pómulos.

Varices

Descripción

Cuando existe mala circulación sanguínea, la sangre que va de las piernas hacia el corazón se acumula en las venas, que se inflaman y se retuercen. Son las varices. Aunque pueden salir también en otras partes del cuerpo, como el ano o el escroto.

Esta enfermedad pueden provocarla diversas causas, como el embarazo, el estreñimiento, permanecer muchas horas de pie o el exceso de peso. Los síntomas son dolor sordo e intenso de las piernas. Además, a la mayoría de personas que las padecen les molesta lo antiestéticas que resultan.

Remedios de aromaterapia

● Al terminar el día, date un suave masaje en las piernas con 20 ml de aceite de almendras y 8 gotas de ciprés.

● Mezcla 25 ml de aceite de jojoba con 2 gotas de zanahoria, 1 de pomelo y 2 de hinojo. Aplica esta crema espesa sobre las varices y frota con energía pero con cuidado para que penetre bien.

● También resulta muy beneficioso un masaje corporal con 50 ml de aceite de pepita de uva, 8 gotas de romero, 8 de geranio y 8 de hinojo.

Aceites esenciales recomendados

● Angélica	● Limón
● Apio	● Mandarina
● Árbol del té	● Mejorana
● Bergamota	● Milenrama
● Ciprés	● Naranja
● Coriandro	● Petit-grain
● Enebro	● Pomelo
● Geranio	● Romero
● Hinojo	● Salvia
● Lavanda	esclarea
● Lima	● Zanahoria

● Los baños deben ser tibios, ya que el calor dilata las venas e incrementa el flujo sanguíneo. Añade 10 gotas de cualquiera o varios de los aceites esenciales mencionados anteriormente y no lo prolongues más de diez minutos. En la ducha, puedes añadir a la esponja un par de gotas de cualquiera de ellos y frotar las piernas con suavidad en movimientos circulares ascendentes.

● Otra mezcla que da buenos resultados para masajear tus doloridas piernas es la hecha a base de 30 ml de aceite de pepita de uva, 3 gotas de ciprés, 2 de sándalo y 1 de menta. En este caso, es mejor que no presiones directamente las varices con los dedos. Es preferible que te des el masaje con las palmas de las manos.

● La mala circulación se produce más en verano. Ten en cuenta que la bergamota y las esencias cítricas son fototóxicas, es decir, que pueden provocar que te salgan manchas en la piel si te da el sol tras aplicártelas. Si te decides por esos aceites esenciales, aplícatelos por la noche y no salgas por la mañana de casa sin haberte lavado bien las piernas para evitar la hiperpigmentación.

Primeros auxilios

Cortes y heridas

Aceites esenciales recomendados

- Ajedrea
- Árbol del té
- Benjuí
- Eucalipto
- Geranio
- Hisopo
- Lavanda
- Manzanilla
- Palmarrosa
- Pimienta negra
- Romero
- Rosa
- Salvia esclarea

Remedios de aromaterapia

● Añade una gota de aceite esencial de árbol del té, eucalipto, geranio o salvia esclarea al agua tibia con la que debes lavar bien el corte o herida que te hayas hecho.

● Los aceites esenciales que más curan son: manzanilla, geranio, lavanda, palmarrosa y eucalipto; y los que favorecen una buena cicatrización: manzanilla, geranio y pimienta negra.

● Si la cicatriz es en el rostro, el aceite esencial más indicado es el de rosa.

Hematomas

Aceites esenciales recomendados

- Ciprés
- Geranio
- Hinojo
- Lavanda
- Mejorana
- Menta
- Romero
- Salvia esclarea

Remedios de aromaterapia

● Aunque añadas una gota de geranio o lavanda sobre el hematoma, lo mejor es que después apliques una compresa fría con cualquiera de los aceites esenciales mencionados.

● Si el hematoma ya adquiere una tonalidad amarillo verdosa, es bueno que des un masaje con un aceite portador que tenga unas gotas de salvia esclarea, hinojo o romero, que son activadores de la circulación.

● En caso de tener muchos hematomas producto de una caída o de un accidente, conviene que prepares un baño caliente y añadas 10 gotas de mejorana o de geranio.

Quemaduras leves

Aceites esenciales recomendados

- Árbol del té
- Benjuí
- Eucalipto
- Geranio
- Lavanda
- Manzanilla
- Niauli
- Pachulí
- Rosa
- Salvia esclarea

Remedios de aromaterapia

● Siempre que te hagas una quemadura leve, después de sumergir de inmediato la zona lesionada en agua fría, aplica una compresa fría para que se refresque y permanezca limpia después de haber aplicado una gota de aceite esencial de lavanda o de árbol del té.

● Tras haber realizado esta primera operación, puedes empapar una compresa mojada en agua fría con alguno del resto de los aceites que te proponemos y aplicarla sobre la zona de la quemadura.

Quemaduras solares

Aceites esenciales recomendados

- Árbol del té
- Cedro
- Ciprés
- Eucalipto
- Geranio
- Jazmín
- Lavanda
- Manzanilla
- Neroli
- Niauli
- Pachulí
- Palisandro
- Rosa
- Sándalo

Remedios de aromaterapia

● Una loción ideal para después de tomar el sol, aunque no hayas sufrido ninguna quemadura, consiste en 25 ml de aceite de almendras dulces, 2 gotas de aceite de germen de trigo, 2 gotas de lavanda, 2 de palisandro y 2 de geranio.

● Lo mejor para aliviar el dolor y picor producido por las quemaduras solares es aplicar uno o varios de estos aceites esenciales en una compresa con agua bienfría.

Picaduras de insectos

Aceites esenciales recomendados

- Albahaca
- Árbol del té
- Citronela
- Geranio
- Hinojo
- Lavanda
- Melisa
- Niauli
- Orégano
- Tomillo

Remedios de aromaterapia

● Las picaduras de insectos pueden convertirse en algo verdaremanete molesto. Para combatirlas, puedes aplicar directamente sobre la zona herida una gota de lavanda o del árbol del té.

● La citronela y la melisa pueden aplicarse directamente sobre la picadura y son unos aceites muy calmantes.

● El resto de aceites, aplícalos en compresas frías si tiene múltiples picaduras, como suele pasar con las producidas por los mosquitos.

Repelente de insectos

Aceites esenciales recomendados

- Albahaca
- Bergamota
- Cedro
- Ciprés
- Citronela
- Eucalipto
- Geranio
- Lavanda
- Lemongrass
- Limón
- Niauli
- Palisandro
- Vetiver

Remedios de aromaterapia

● El repelente de insectos más simple que hay es el quemador de esencias. Pon unas gotas de uno o varios de los aceites que te recomendamos y conseguirás mantener a los mosquitos alejados.

● También puedes añadir 10 gotas de uno de esos aceites esenciales al baño para que tu piel huela a su aroma y no se te acerquen los insectos. Elige el que más te guste y conseguirás perfumarte y repeler insectos.

Aceites esenciales para el alma

Remedios de aromaterapia para tus emocione

A continuación te ofrecemos algunas propuestas para que puedas sentirte mejor en tus momentos más difíciles.

Las personas somos cuerpo, mente y emociones. Y no cabe duda de que los tres elementos están relacionados muy íntimamente. Por eso, la aromaterapia, además de ofrecerte soluciones para las dolencias físicas, también ha buscado cómo dar alivio a los problemas que genera nuestro yo más interior.

Las emociones negativas pueden llegar a repercutir en nuestro organismo, y como personas responsables de nuestra salud y nuestro equilibrio vital, debemos prestar la misma atención a nuestro interior, tanto o más que a nuestro exterior, a nuestro cuerpo físico.

Es muy larga la lista que se puede confeccionar con estados de ánimo negativos, pero también lo es la de aceites esenciales que pueden ayudarte a recuperar el optimismo, la autoconfianza y el empuje para afrontar las situaciones difíciles.

A continuación, te ofrecemos algunos ejemplos de esas emociones y de los aceites esenciales útiles en cada caso.

Es una elección muy personal y es bueno que pruebes, con el asesoramiento de tu aromaterapeuta o como iniciativa propia, varias mezclas y remedios.

Nosotros te hacemos algunas propuestas como ejemplo de los principales modos eficaces de aplicar la aromaterapia a los síntomas que te producen tus emociones, pero tú escoges el resto. De todos modos, una pista: la lavanda, la mandarina y, sobre todo, la rosa suelen ser los aceites esenciales que mejores resultados dan a la hora de sentirse mejor. Aunque no excluyen, ni muchísimo menos, al resto de aceites esenciales que te proponemos.

Inhalar aceites esenciales de un pañuelo

● **Si de pronto sientes ansiedad, tristeza o nerviosismo** como consecuencia de un disgusto o una situación estresante, por ejemplo, vierte 4 gotas de lavanda en un pañuelo e inhala profundamente.

● **Todos los aceites esenciales** que te proponemos para cada emoción pueden ayudarte si llevas contigo un pañuelo con algunas gotas y lo inhalas profundamente en el momento en el que te invade una emoción negativa determinada.

Un baño reparador

● **El baño caliente, por sí mismo, ya es un buen remedio** para combatir estados emocionales negativos. Sin embargo, si le añades 10 gotas de cualquiera de los aceites que te mencionamos a lo largo de todas las emociones que siguen a continuación, se convertirá en todo un remedio terapéutico. Una mezcla relajante muy eficaz consiste en 2 gotas de geranio, 2 de lavanda, 2 de sándalo y 1 de ylang ylang.

● **En el baño, afirman que el aceite esencial de rosa** es el más terapéutico emocionalmente.

● **En función de la emoción negativa** que te atenace, añade 2 gotas de uno de los aceites esenciales adecuados al gel de baño que pongas en la esponja en tu ducha matinal.

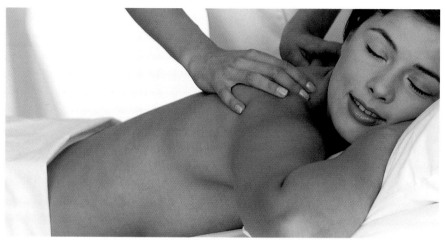

Un masaje reconfortante

● **Pide a alguien que te dé un masaje** en un ambiente tranquilo y relajante con el siguiente aceite: 15 ml de aceite de pepita de uva, 2 gotas de rosa, 2 de lavanda, 2 de sándalo y 2 de bergamota. Te devolverá la serenidad y podrás afrontar tus problemas con nuevos ánimos.

● **Esta mezcla de aceites esenciales es muy sedante**: 50 ml de aceite de almendras dulces, 8 gotas de salvia esclarea, 8 de ylang ylang y 8 de lavanda.

● **Si el estrés hace mella en tu ánimo**, mezcla 5 ml de aceite de almendras dulces con 2 o 3 gotas de manzanilla o lavanda y frótate con él las manos y las plantas de los pies. Date también un masaje circular en el sentido de las agujas del reloj en el plexo solar si los nervios te atenazan el estómago.

La aromaterapia también ha buscado cómo dar alivio a los problemas que genera nuestro yo más interior.

● **Para un solo masaje**, añade a 15 ml de aceite de almendras dulces, 2 gotas de rosa y 2 de melisa. Será toda una experiencia de tranquilidad.

Perfuma tu alma

● **La lavanda, el incienso, la bergamota o la rosa** son algunas de las opciones más eficaces para el quemador de esencias, pero existen decenas de posibilidades. Unas gotas bastan para perfumar las estancias de tu casa y conseguir un ambiente relajante y lleno de armonía.

● **En temporadas en las que sufras ansiedad, te recomendamos** que utilices como perfume personal el neroli, la rosa o el ylang ylang.

Automasaje: sencillo y efectivo

• **Mezcla 5 ml de aceite de almendras dulces** con 2 o 3 gotas de lima o romero y frótate con él las manos y las plantas de los pies. Es un masaje que te recarga de energía y que te devolverá las fuerzas y las ganas de continuar.

• **También puedes mezclar 5 ml de aceite de pepita de uva** con 2 gotas de ciprés o melisa y frotarte las manos y las plantas de los pies. Si la tristeza te atenaza el estómago, date un masaje circular en el sentido de las agujas del reloj en el plexo solar.

• **Para los celos o la envidia**, pon en 5 ml de aceite de almendras dulces 2 gotas de rosa o de lavanda y frótate las manos, las plantas de los pies y el plexo solar.

Aceites esenciales para las emociones negativas

Ansiedad

- Bergamota
- Cedro
- Enebro
- Geranio
- Lavanda
- Limón
- Manzanilla
- Mejorana
- Melisa
- Neroli
- Pachulí
- Petit-grain
- Rosa
- Salvia esclarea
- Sándalo
- Vetiver
- Ylang ylang

Apatía

- Cajeput
- Cedro
- Geranio
- Eucalipto
- Incienso
- Jengibre
- Lemongrass
- Lima

- Limón
- Mandarina
- Manzanilla
- Mejorana
- Melisa
- Menta
- Naranja amarga
- Neroli
- Niauli
- Petit-grain
- Romero
- Rosa
- Salvia esclarea
- Sándalo
- Tomillo
- Ylang ylang

Apego a desgracias pasadas

- Ciprés
- Melisa
- Rosa

Cambios de humor

- Bergamota
- Ciprés
- Enebro
- Geranio
- Lavanda
- Limón
- Mandarina
- Menta
- Naranja amarga
- Romero
- Rosa
- Salvia esclarea
- Sándalo
- Tomillo
- Ylang ylang

Celos, envidia

- Bergamota
- Eucalipto
- Geranio
- Jazmín
- Lavanda
- Limón
- Mejorana
- Naranja amarga
- Neroli

- Romero
- Rosa
- Sándalo
- Tomillo
- Ylang ylang

Confusión, indecisión

- Albahaca
- Árbol del té
- Bergamota
- Cardamomo
- Cajeput
- Cedro
- Incienso
- Jengibre
- Geranio
- Incienso
- Mandarina
- Mejorana
- Menta
- Neroli
- Niauli
- Petit-grain
- Pomelo
- Mirra
- Romero
- Rosa

- Salvia esclarea
- Sándalo
- Tomillo
- Ylang ylang.

Culpa
- Ciprés
- Limón
- Mandarina
- Manzanilla
- Mejorana
- Naranja amarga
- Niauli
- Pino
- Rosa
- Sándalo
- Tomillo
- Ylang ylang

Decepción
- Eucalipto
- Jengibre
- Geranio

- Incienso
- Mejorana
- Neroli
- Niauli
- Rosa
- Salvia esclarea
- Tomillo
- Ylang ylang.

Depresión
- Bergamota
- Geranio
- Incienso
- Jasmín
- Lavanda
- Lemongrass
- Manzanilla
- Melisa
- Naranja
- Neroli
- Pachulí
- Pomelo
- Rosa
- Salvia esclarea
- Sándalo
- Ylang ylang

Desaliento, desánimo
- Bergamota
- Cedro
- Ciprés
- Jengibre
- Geranio
- Incienso
- Limón
- Mandarina
- Melisa
- Naranja amarga
- Neroli
- Niauli
- Petit-grain
- Rosa
- Salvia esclarea
- Sándalo
- Ylang ylang.

Desesperación
- Cedro
- Geranio
- Incienso
- Limón
- Mandarina
- Mejorana
- Melisa

- Menta
- Romero
- Salvia esclarea
- Sándalo
- Tomillo
- Ylang ylang

Discusiones
- Bergamota
- Cedro
- Geranio
- Incienso
- Lavanda
- Mandarina
- Mejorana
- Melisa
- Mirra
- Petit-grain
- Rosa
- Sándalo
- Tomillo
- Ylang ylang

Emotividad, llanto fácil

- Ciprés
- Geranio
- Lavanda
- Mejorana
- Neroli

Falta de autoconfianza

- Bergamota
- Cedro
- Incienso
- Geranio
- Jazmín
- Rosa

Frustración

- Ciprés
- Jengibre
- Incienso
- Limón
- Mandarina
- Manzanilla
- Naranja amarga
- Niauli
- Salvia esclarea
- Tomillo
- Ylang ylang

Irritabilidad

- Bergamota
- Cedro
- Ciprés
- Geranio
- Incienso
- Jengibre
- Lavanda
- Limón
- Mandarina
- Manzanilla
- Mejorana
- Melisa
- Mirra
- Naranja amarga
- Neroli
- Niauli
- Petit-grain
- Rosa
- Palisandro
- Salvia esclarea
- Sándalo
- Tomillo
- Ylang ylang

Ira, cólera

- Bergamota
- Cedro
- Incienso
- Lavanda
- Limón
- Mandarina
- Manzanilla
- Mejorana
- Melisa
- Menta
- Mirra
- Naranja amarga
- Petit-grain
- Rosa
- Sándalo
- Ylang ylang

Impaciencia

- Cedro
- Eucalipto
- Geranio
- Incienso
- Jengibre
- Lavanda
- Limón
- Mandarina
- Melisa
- Mirra
- Naranja amarga
- Neroli
- Petit-grain
- Romero
- Rosa

Miedo, temor

- Ciprés
- Geranio
- Mandarina
- Mejorana
- Melisa
- Mirra
- Naranja amarga
- Neroli
- Niauli
- Salvia esclarea
- Sándalo
- Ylang ylang

Negatividad

- Albahaca
- Bergamota
- Geranio
- Incienso
- Jazmín
- Lemongrass
- Limón
- Mirra
- Salvia esclarea
- Sándalo

Obsesión

- Ciprés
- Geranio
- Lavanda

- Mejorana
- Melisa
- Petit-grain
- Rosa
- Salvia esclarea
- Ylang ylang

Pánico

- Bergamota
- Incienso
- Lavanda
- Manzanilla
- Mejorana
- Melisa
- Mirra
- Neroli
- Petit-grain
- Romero
- Salvia esclarea
- Sándalo
- Tomillo
- Ylang ylang

Pena profunda

- Ciprés
- Jazmín
- Lavanda
- Manzanilla
- Mejorana
- Rosa

- Vetiver

Resentimiento

- Rosa

Shock

- Árbol del té
- Bergamota
- Manzanilla
- Mejorana
- Melisa
- Mirra
- Neroli
- Petit-grain
- Rosa
- Ylang ylang

Soledad

- Mejorana
- Rosa

Timidez

- Mandarina
- Mejorana
- Naranja amarga
- Petit-grain
- Salvia esclarea
- Sándalo
- Tomillo
- Ylang ylang